PETER RICHTER

Blühende Landschaften

D1579488

Buch

Deutschland ist seit 1990 endlich zweigeteilt: eine Heimat der gegenseitigen Anschuldigungen. Peter Richter zieht nach den anarchischen Wendejahren aus dem östlichen Tal der Ahnungslosen in die vielleicht selbstgewisseste Stadt des Westens, nach Hamburg. Aber alle Versuche, ein Westdeutscher zu werden, werfen ihn auf seine Dresdner Herkunft zurück: die Älteren schwelgen in Erinnerungen an den Bombenkrieg, und Jüngere halten ihn für einen Nazi. Auch seine Ausflüge in die Mode und die Lebensart des Westens enden in Ernüchterungen oder jedenfalls da, wo er herkam. Richter bietet kein Plädoyer zur Verständigung und erst recht keine milde Nostalgie, sondern: Beobachtungen zu Liebe und Sex auf beiden Seiten, zur Rolle von Ausländern und zur genetischen Zukunft des Ostdeutschen. »Blühende Landschaften« ist eine erhellende Wanderung vom Osten in den Westen und wieder zurück in den Osten, wo heute die Städte schrumpfen und die Mittelaltermärkte blühen. Sie endet, natürlich, in Berlin – der Werkstatt der Teilung.

Autor

Peter Richter wurde 1973 in Dresden geboren und wuchs dort auch auf. Anfang der Neunziger Jahre zog er zum Studium nach Hamburg. Er ist Kunsthistoriker, lebt in Berlin und arbeitete als Autor u.a. für die SZ, war Redakteur bei der FAZ und schreibt eine Kolumne in der Frankfurter Allgemeinen Sonntagszeitung.
    Peter Richter arbeitet momentan an seinem zweiten Buch.

Peter Richter

Blühende Landschaften

Eine Heimatkunde

FSC

Mix

Produktgruppe aus vorbildlich
bewirtschafteten Wäldern und
anderen kontrollierten Herkünften

Zert.-Nr. SGS-COC-1940
www.fsc.org
© 1996 Forest Stewardship Council

Verlagsgruppe Random House FSC-DEU-0100
Das FSC-zertifizierte Papier *München Super* für Taschenbücher aus dem
Goldmann-Verlag liefert Mochenwangen Papier.

1. Auflage
Taschenbuchausgabe September 2005
Copyright © dieser Ausgabe
2004 by Wilhelm Goldmann Verlag, München,
in der Verlagsgruppe Random House GmbH
Manhattan Bücher erscheinen im Goldmann Verlag, München,
einem Unternehmen der Verlagsgruppe Random House GmbH
Die Nutzung des Labels Manhattan erfolgt mit freundlicher
Genehmigung des Hans-im-Glück-Verlags, München
Umschlaggestaltung: Design Team München
AL · Herstellung: Str.
Druck und Bindung: GGP Media GmbH, Pößneck
Printed in Germany
ISBN 3442152607

www.goldmann-verlag.de

Der nette Mann von nebenan

Mein Name ist Peter Richter, ich bin dreißig Jahre alt, und, ja, ich habe fast alles von den Böhsen Onkelz. Ich sage das lieber gleich, sonst finden mich wieder alle nett, und dann erschrecken sie, wenn sie vor meinem Plattenregal stehen. Auch ich habe schon intelligentere Musik gehört. Aber nicht immer genauso gerne.

Tätowiert bin ich übrigens nicht. Siebzig Prozent der Bevölkerung sind ja inzwischen tätowiert oder gepierct. Ich würde da auch gerne mitmachen. Aber mir ist bisher kein geeignetes Motiv eingefallen. Ich habe einmal mit dem Gedanken gespielt, mir »DRESDEN« auf den Bauch tätowieren zu lassen, in Fraktur natürlich. Wenigstens dort wäre die Stadt in der letzten Zeit erheblich größer geworden, und nicht immer kleiner, wie in der Wirklichkeit. Dresden hat ja in den letzten fünfzehn Jahren unheimlich viele Einwohner verloren. Zum Beispiel mich.

Ich bin 1993 nach Hamburg gezogen. Und erst dort bin ich zu etwas geworden, von dem ich vorher gar nicht wusste, dass es das überhaupt gibt: zum Ostdeutschen. Mit den Böhsen Onkelz hat das zunächst einmal überhaupt nichts zu tun. Ich lege auch Wert auf die Feststellung, dass ich deren völlig zu Recht inkriminiertes Frühwerk »Türken raus« für äußerst schlechte Musik halte und den Text inhaltlich keineswegs unterstützen kann. Das könnte ich noch nicht mal, wenn ich wollte, denn die Türken waren eindeutig eher da als ich. Und zum Fremdeln besteht auch kein Anlass, denn da, wo ich mit ihnen am häufigsten Kontakt habe, und das ist immer noch beim Einkaufen, da finde ich sie oft auf eine sehr angenehme und von zu Hause her vertraute Art und Weise mürrisch.

Unangenehm berührt es mich nur, wenn sie dabei folkloristischen Erwartungen an südländische Lebensfreude entsprechen wollen und lustige Sachen sagen wie: »Macht 150 Tausend Millionen Euro bitteschön«, obwohl etwas 1,50 kostet. Aber sagen würde ich dazu erst dann etwas, wenn vor mir in der Schlange jemand übertrieben laut lacht, obwohl er es genauso unwürdig findet. Nur dann würde ich etwas sagen, und zwar: »In patriarchalische Herablassung mündendes Lachen aus falsch verstandener Ausländerfeindlichkeitsfeindlichkeit – das ist schon etwas sehr, sehr Deutsches.« Das wäre ein sicherer Punkt für mich. Von dem Vorwurf, etwas »sehr Deutsches« oder sogar »typisch Deutsches« gesagt oder gedacht zu haben, erholt sich keiner so leicht, das ist aus genügend Talkshows bekannt. »Schwarzbrot, das ist auch etwas sehr, sehr Deutsches.«

Mit so was bekommt man zwar heute schnell Beifall von der so genannten falschen Seite. Aber die dort klatschen ja sowieso zu jedem Mist und können mich mal. Ich kenne ohnehin fast nur Leute von der richtigen Seite, und die sind meistens sehr tolerant und können »durchaus auch mal über sich selber lachen«.

Wenn mich früher jemand als gleichartig mit den Menschen aus der so genannten ehemaligen DDR bezeichnet hätte, hätte ich ihn mit ruinösen Schadensersatzklagen überzogen. (Hätte ich natürlich nicht, ich hätte gar nicht gewusst, was das ist und wie das geht.) Inzwischen weise ich häufiger, als das irgendjemand hören will, selber darauf hin.

Ich spreche jetzt auch wieder häufiger Sächsisch. Wenn Leute in überteuerten italienischen Restaurants ihr zweites Gläschen Soave bestellen, brülle ich: »Mir auch noch so eine Seife!« Außerdem trinke ich sogar für sächsische Verhältnisse unvernünftig viel Kaffee, und den grundsätzlich schwarz. Auf Mitmenschen, denen aufgeschäumte Milch und aufgeschäumte Lebensverhältnisse wichtig sind, wirke ich deshalb möglicherweise manchmal wie ein schlecht durchlüfteter Tatortkommissar. Aber ich finde, in Cafés sollte man Kaffee trinken, und wer vorwiegend Milch will, der soll sich gefälligst eine Milchbar suchen. Es ist übrigens nicht mein primäres Ziel, mich zum Affen zu machen, es ist mir nur inzwischen sehr wichtig, kein »Westdeutscher« zu sein, oder jedenfalls keiner, der pausenlos an seiner stilistischen Verfeinerung herumpuzzelt. Ich bin inzwischen wieder sehr gern vormodern, was die Lebenskultur betrifft. Einer muss es ja tun, damit sich für die anderen der ganze anstrengende Aufwand lohnt und sie sich besser, weniger deutsch und weniger dumpf fühlen können hinterher. Es gibt ohnehin schon viel zu viel Verständnis, Rücksichtnahme und Einfühlung, die am Ende nur zu schlechtem Gewissen und schlechter Laune führen. Jeder sollte lieber wieder die Rolle spielen, in der er sich wohl fühlt und die die anderen ohnehin von ihm erwarten. Von mir aus können die westdeutschen Dachgeschoßdeppen in Ostberlin, wo ich heute wohne, auch Austern schlürfend über die Straße rennen. Mein Fingerfood heißt wieder Bockwurst.

Damit doch noch einmal zu den Böhsen Onkelz. Dass die aus Frankfurt am Main und damit aus dem Westen kommen, weiß ich auch. Ich hatte nur das Gefühl, es gehört sich so, gleich am Anfang eine Rockgruppe ins Spiel zu bringen. Denn ich habe festgestellt: In neuen Büchern stehen heute grundsätzlich Liedzeilen von Popbands auf der ersten Seite. Also dort, wo die Leute früher immer ein Zitat von Walter Benjamin hindrucken ließen oder von einem vergessenen italienischen Dichter aus dem Novecento, meistens aber doch von Benjamin.

Ich hatte lange mit dem Gedanken an Modern Talking gespielt, denn die sind erstaunlicherweise als Opener noch ziemlich unverbraucht, die meisten Leute bedienen sich lieber jenseits der Hitparaden. Aber die Böhsen Onkelz sind auch nicht schlecht. Da weiß wenigstens jeder, was Sache ist, vor allem diejenigen, die noch nie was von denen gehört haben. Dabei sollten sie es auch belassen, denn sonst weicht die Empörung der Enttäuschung, und dann halten auch die noch alle für inzwischen ganz harmlos und nett, und das wäre, glaube ich, für alle beteiligten Seiten ziemlich ärgerlich.

Dass diese Band in ihren Jugendjahren rechtsradikalen Unsinn verbreitet hat, ist unschön. Dass sie aber seit anderthalb Jahrzehnten unentwegt ihre Geschichte aufarbeitet, sich von ihren politischen Fehlentwicklungen distanziert, dabei allerdings auf dem Wert der eigenen Biografie besteht – und davon handelt jedes zweite ihrer Lieder –, das ist schon beinahe wieder vorbildlich, denn das macht sie im Prinzip vielen Ostdeutschen vergleichbar. Nur dass die Böhsen Onkelz mehr Geld damit verdienen, weil sie bis heute rechtschaffene Menschen in Angst und Schrecken halten. Lernen lässt sich daraus: Selbstmitleid *unplugged* führt zu nichts. Man muss die Aversionen, Attitüden, Posen und Vorurteile nicht nur so pfleglich und liebevoll behandeln wie eine E-Gitarre, man muss sie endlich auch mal in den Verstärker einstöpseln.

Dass das mit dieser Wiedervereinigung ein schmerzhafter Prozess werden könnte, davor war gewarnt worden, und zwar seit Anfang 1990 an einer Brandmauer in der Dresdner Neustadt: »Wiedervereinigung« stand da, dann kam ein Doppelpunkt und dann die sehr unsittliche Darstellung zweier Strichmännchen, von denen das eine dem anderen von hinten sexuell zu nahe trat.

Diese Schilderung der Lage ließ in ihrer Drastik eigentlich keine Fragen offen. Außer vielleicht einer. Der entscheidenden. Der Leninschen Grundsatzfrage nämlich: Wer wen eigentlich?

Ich habe sie bis heute nicht schlüssig klären können, obwohl ich mich wirklich sehr bemüht habe – und das Resultat dieser Bemühungen ist mehr oder weniger das, was jetzt hier vor Ihnen liegt. Das Buch handelt von der Ausgestaltung der äußeren und inneren Einheit Deutschlands. Ich habe aufgeschrieben, was mir dabei auf- und dazu eingefallen ist. Das Ziel war, als beobachtender Teilnehmer eine Art deutsch-deutscher Ethnografie aufzustellen. Oder, um gleich einmal so ein Wort aus dem Herbst 1989 aufzugreifen: ein Gedächtnisprotokoll. So hieß damals das, was sich im Schutze evangelischer Kirchen diejenigen Leute erzählten, die gerade aus den Kellern der Bereitschaftspolizei wieder entlassen worden waren: Geschichten, die man verzweifelt festhalten und in sakralem Rahmen beschwören musste wie Gründungsmythen, weil sie schon damals, unmittelbar danach, unter dem Druck der nachkommenden Ereignisse verschüttet zu werden drohten.

Im Moment werden die Erinnerungen von den Ostalgie-Shows verschüttet, die es in diesem langen Herbst wie welke Blätter von den Bäumen geweht hat. Dadurch wird mir aber nicht heimeliger zumute, sondern ich hätte gern einen Mantelkragen zum Hochschlagen, wenn mich da nun Katarina Witt wieder aus dem Fernseher angrinst. Dabei trägt sie nicht mal mehr ihre FDJ-Bluse, sondern die Tracht eines Jungpioniers, sie ist also zu allem Überfluss auch noch regrediert. Neben ihr sitzt ein junger Komoderator, der sich in den Trainingsanzug des Armee-Sport-Vereins der DDR gezwängt hat, dessen durchfallfarbiges Braun Erinnerungen an die entsetzliche Grützwurst aus der Schulspeisung wach ruft – aber die hat er ja auch nie essen müssen, denn er ist aus dem Westen und findet die Reliquien des Ostens vermutlich in erster Linie fremd und unterhaltsam.

Es hat über die Leute seiner Generation und seiner Herkunft ein Buch gegeben, in dem es viel um den VW Golf geht und das mit den Worten »Mir geht es gut« beginnt. Mit genau denselben Worten endete knapp zwanzig Jahre vorher eine beklemmende Novelle von Christoph Hein, in der ein Wartburg eine wichtige Rolle spielt. Zwei Welten sind da beschrieben worden, in denen es derartig glatt und gut geht, dass man eigentlich gar nichts dagegen einzuwenden haben kann. Außer vielleicht, dass man ein paar Bomben draufschmeißen möchte. Und dass die ja dann auch geschmissen wurden, ist nicht nur alles in allem schon ein Riesenglück, sondern es sieht sogar aus, als hätten sie diesen deprimierenden Block aus Langeweile erst in die beiden hysterischen Teile zersprengt, die wir heute als Osten und Westen kennen.

Zwischen diesen beiden Welten bin ich lange hin und her spaziert, habe an der Ausgestaltung meiner inneren Einheit gearbeitet und mich dabei oft derart gut amüsiert, dass ich jetzt ein Mitteilungsbedürfnis verspüre. Unser Marsch durch das Land, wo eher die Projektionen als die Landschaften blühen, beginnt 1989 in Dresden, dem östlichen Tal der Ahnungslosen. Er führt dann nach Hamburg, in die vielleicht selbstgewisseste Stadt des Westens, außerdem kurz in eine ehemalige deutsche Kolonie und dann noch einmal durch den Osten nach Berlin und in die Gegenwart. Ich bin gern Ihr Wanderleiter. Wenn alles gut geht, wird am Ende vielleicht ein ganz lehrreiches Heimatkundebuch herauskommen. Vielleicht allerdings auch eher ein Heimatkundenbuch, in dem lauter Beschwerden stehen. Aber in so was lässt sich ja auch gut blättern.

Danksagung

Am Anfang steht natürlich, wie immer, eine Frau. Und die Frau, der ich am meisten im Leben verdanke, heißt Zonengabi.

»Zonengabi im Glück (BRD): Meine erste Banane« – eine junge Frau in Stone-Washed-Jeans und mit Miniplifrisur hält eine Gurke hoch, die sie geschält hat wie eine Banane. Als ich das zum ersten Mal sah, dieses Plakat von der *Titanic*, da wollte ich sofort irgendwo anrufen und sagen: »Ich kenne diese Frau. Die wohnt in Dresden!«

Sie hat früher neben mir beim VEB Pentacon gearbeitet, wo ich als Unterricht in »Praktischer Arbeit« jeden zweiten Freitag acht Stunden lang »schläucheln« war. So hieß der Arbeitsgang. Zonengabi hat auch »geschläuchelt«. Wir haben Drähte durch Gummischläuche gefädelt und dazu im Radio dem Schlagersänger Olaf Berger zugehört – den mochte sie, weil der sehr gefühlvoll sang und die Haare ganz ähnlich trug wie sie. Gabi hat Arbeitsschutzverstöße geahndet, »Club« geraucht, über die arroganten Verkäuferinnen in der »Jugendmode«, dem »Delikat« und dem »Exquisit« geschimpft, mit den Jungs vom Lager geschäkert, die übrigens ebenfalls alle Gabis Frisur trugen, und abends hat sie ihre Kittelschürze gegen einen Einkaufsbeutel aus genau dem gleichen Material getauscht und ist ohne große Hoffnungen zur Kaufhalle getrampelt.

Zonengabi war Kandidatin der Nationalen Front oder hat diese bei den Volkskammerwahlen am 7. Mai 1989 zumindest gewählt. Die Wahlplakate haben damals schon keine fröhlichen Kollektive mehr gezeigt, sondern nur noch einzelne Arbeiter – und so sah das in den Betrieben zuletzt ja auch aus, bedingt durch die große Ausreisewelle, in deren Zuge ich meinte, Gabi an den Botschaftszäunen von Budapest und Prag rütteln gesehen zu haben. Ganz sicher jedoch schaute sie aus dem Fenster des Reichsbahnzuges, der am 4. Oktober 1989 auf dem Weg von der Prager Botschaft in den Westen auch durch den Dresdner Hauptbahnhof rollte. Möglichweise stand sie in dem Moment aber auch auf dem Bahnsteig und schrie: »Wir wollen raus!« Als der Bahnhof in Schutt und Asche gelegt war, stand sie auf der Prager Straße und schrie abwechselnd »Wir wollen raus« und »Wir bleiben hier«, was durchaus kein Widerspruch war, sondern nur der richtungslose Wunsch nach irgendeiner Veränderung. Später, nachdem ich sie mit ihrem Begrüßungsgeld vor dem Woolworth in Westberlin wiedergetroffen hatte, ersetzte sie von einem Montag auf den anderen »Wir sind das Volk« durch »Wir sind ein Volk« – meinte eigentlich aber: Wir wollen nicht immer nur jeden Montagabend im Ersten Programm alte UFA-Filme sehen, wir wollen auch endlich wieder so leben. Deshalb waren aus der Montagsdemonstration inzwischen zwei Montagsdemonstrationen geworden, die hintereinander hertrotteten und dabei einen kleinen Sicherheitsabstand zwischen sich ließen. Vorne gingen Leute wie Zonengabi, die den Beitritt zur BRD forderten. Hinten diejenigen, die für irgendwas anderes waren, ohne davon schon genauere Vorstellungen zu haben. Ich zum Beispiel.

»Gabi«, rief ich damals, »du solltest das lieber nicht wollen, du wirst doch als Erste arbeitslos!« »Und du linkes Schwein«, rief Gabis dreizehnjähriger Sohn, »wirst als Erster vergast.« Er trug schon eine Glatze damals und eine dünne, glitzernde Bomberjacke in Schwarz mit einer US-Fahne und einem Adler auf dem Rücken. Es war noch vor der Währungsreform, und eine richtige Bomberjacke, eine teure von Alpha Industries, die konnte Gabi ihrem Sohn, ehrlich gesagt, auch hinterher nicht gönnen.

Wir sahen uns dann noch mal bei den beiden Auftritten von Helmut Kohl vor der Frauenkirchruine. Ich konnte leider jedes Mal nur so lange bleiben, bis der Volkszorn sich über denen entlud, die ihm nicht den »Auftrag zur Einheit« gaben – jenen Auftrag, den Kohl, wie es später heißen wird, damals in Dresden erhalten haben will. Aber Gabi wirkte sehr glücklich in diesen Tagen. Und am 3. Oktober 1990 stieß sie mit ihren Freunden kräftig auf die Erfüllung von Kohls Auftrag an. Als sie wieder nüchtern war, gab es ihren Betrieb nicht mehr. Pentacon war das erste Kombinat, das abgewickelt wurde, und zwar – da war die Treuhand wirklich geschickt – direkt während der Einheitsfeierlichkeiten.

Manche meinen, Zonengabi in den folgenden Jahren bei den Pogromen von Hoyerswerda und Rostock im Fernsehen erkannt zu haben. Wie sie da im Publikum stand und nicht wusste, wie sie am besten klatschen sollte, weil sie gleichzeitig eine Bockwurst aß. Ich aber weiß, dass Gabi ihre Pullover, Gurken und möglicherweise auch Bananen heute am liebsten bei den »Fidschis« kauft, weil die noch »reelle Preise« haben. Mit den Westdeutschen im Allgemeinen und der CDU im Besonderen hat es Gabi seit längerem nicht mehr so. Vermutlich wählt sie PDS oder auch mal rechts, damit die da oben endlich merken, dass das alles so nicht weitergehen kann. Obwohl es bisher natürlich noch immer irgendwie weitergegangen ist. Am Anfang waren sogar ein paar schöne Urlaubsreisen drin gewesen. Mosel, Bayern, Tunesien, inzwischen aber wieder Ostsee. Und weil sie feststellen musste, dass sich in der Zeit, als sie in Tunesien war, irgendwelche Westdeutschen ihren Strandkorb unter den Nagel gerissen haben, badet sie jetzt extra nackig: Weil die das nicht gewohnt sind und sittlich empört; und Strafe muss schon sein dafür, dass die dort die Preise so hochgetrieben haben. Zum Euro hat sie offiziell

»keine Meinung« und privat eine »überwiegend negative«. Sie hätte lieber die D-Mark behalten. Sie hätte auch nichts gegen den Wiederaufbau der Mauer gehabt, wenn sie die D-Mark hätte behalten können.

Gabi trägt natürlich heute eine andere Frisur und andere Kleidung. Sie hat ein paar Umschulungen hinter sich, ein paar Jahre Arbeitslosigkeit und etliche ABM-Stellen. Wenn sie ihre Söhne besucht, sagt sie scherzhaft: »Ich geh mal nach den Rechten schauen.«

Alles ist so, wie man sich das vorstellt.

Ich wollte immer irgendwo anrufen und durchgeben, wo diese Frau verhaftet werden könnte. Aber erstens stand da keine Telefonnummer, und zweitens tat mir Zonengabi irgendwann auch ein bisschen Leid.

Alle lachen über dich, dachte ich beinahe zärtlich, sogar die Ostdeutschen. Was bleibt ihnen auch übrig, keiner will so sein wie du. Die BRD ist vermutlich doch nicht dein Glück. Sie ist höchstens meins. Ich werde über dich schreiben, mich natürlich distanzieren, herablassend tun, ein paar Scherze machen, und am Ende verdiene ich damit bei einem Westverlag sogar noch Geld (Westgeld, versteht sich), während du zum Sozialamt musst. Und das alles nur, weil du unbedingt diese Einheit wolltest und ich nicht.

»Die Letzten werden die Ersten sein«, hätte ich gern zu ihr gesagt und sie dabei in den Arm genommen. Bisher stimmt es ja leider nur umgekehrt: Leute wie Zonengabi waren damals die Ersten und sind für viele jetzt das Letzte.

Mir dämmerte, was ich Zonengabi alles verdanke. Alles eben.

Sie hat nicht nur den Weg in den Westen frei gemacht, sondern sie versammelt auch wie eine Leidensmutter all den Spott auf sich, der sonst womöglich mich treffen würde. Den Westgeld- und Kaufrausch solcher Leute wie Zonengabi habe ich damals ein bisschen verachtet. Andererseits war dieses Geld selber aber alles andere als zu verachten. Und die Dinge, die man damit kaufen konnte, schon gar nicht. Und wo man schon mal da war … .

Man sollte auch überlegen, ob man den Bürgerrechtlern nicht endlich ihre politischen Verdienste aberkennt und sie Gabi zuspricht, denn die hat ja sonst nichts.

Wenn Zonengabi nicht Bananen gewollt hätte, müsste ich bis heute Gurken essen. Wobei Bananen in diesem Falle für alle Verlockungen und Annehmlichkeiten des Westens stehen außer für sich selbst. Denn die Banane als Frucht kann eigentlich kein normaler Mensch einer herkömmlichen Gurke vorziehen wollen. Sie sieht nur von außen vielversprechend aus, nach weiter Welt und einsamen Stränden, aber innen steckt dann trotzdem nur eine fahle Pampe, so unsexy wie Grießbrei. Deshalb frage ich mich inzwischen allen Ernstes, ob Gabi nicht damals in Wahrheit schon viel weitsichtiger war als die meisten Leute heute. Und ob sie überhaupt wirklich Bananen wollte oder nicht vielmehr nur die Sicherheit, dass sie sie haben könnte. Was nämlich, wenn sich Gabi damals schon gesagt hätte: So eine gewöhnliche Gurke, die kommt doch eigentlich aus dergleichen Ecke wie die Banane, und zwar aus Südostasien. Die ist im Gegensatz zur Banane aber erfrischend und wirkt Verstopfungen entgegen, sie senkt den Blutdruck und reinigt sogar die Lungen. Man müsste sie nur einfach so zeremoniell schälen wie eine Banane, dann macht sie auch wieder mehr her; dann spart man, lebt gesund und fühlt sich trotzdem wie im Westen. Was, wenn Gabi die leeren Versprechen des Westens als Erste erkannt und in der Banane symbolisiert gesehen hat, um mit ihrer geschälten Gurke bereits im Vereinigungsrausch die Selbstbesinnung der Ostdeutschen einzuläuten. Was dann? Dann müsste man die Leute, die heute noch über Zonengabi lachen, eigentlich alle wegen Blasphemie einkerkern. Ihnen ihre blöden Bananen in den Auspuff stopfen. Man müsste kleine Altäre um das Zonengabi-Poster zimmern und ihr fortwährend schöne Schnittblumen kaufen. Die sind ja jetzt jederzeit auch im Osten erhältlich. Und auch das ist allein ihr Verdienst.

Die nationale Frage

Verpönt ist die Wende – und Zonengabi als deren Galionsfigur – bei vielen Westdeutschen vor allem deshalb, weil sie etwas wieder in das Zentrum der Debatten gezerrt hat, das bis dahin erfolgreich an den rechten Rand verdrängt worden war: die so genannte nationale Frage. Dabei war das schon immer eine Frage gewesen, die vor allem die Ostdeutschen sich selber zu stellen hatten.

Ausformuliert lautet sie: »Wer bin ich denn?« Und wer man ist, das sagen einem immer noch am zuverlässigsten die Holländer.

Ende der siebziger Jahre sagte das freundliche Prosit der niederländischen Zeltplatznachbarn am Balaton hinsichtlich der nationalen Frage mehr als Honeckers ganze, um den Begriff des »DDR-Volks« herumgehäkelte Verfassung von 1974: Wir waren keine Deutschen, jedenfalls keine richtigen. Uns mochten sie.

Die Ungarn sagten übrigens genau das Gleiche, nur ein bisschen weniger charmant. Die richtigen Deutschen bekamen Stellplätze am Wasser, wir hinterm Klo. Schon deshalb konnte ich keinesfalls wie Erich Kästner behaupten, ich sei ein Deutscher aus Dresden in Sachsen. Außerdem kannte ich das Wort Sachsen fast nur als Schimpfwort – aus den hassverzerrten Mündern gewisser Berliner Fußballfans, absolut indiskutabler Leute, denen ohnehin nicht zu trauen war.

Überhaupt ist der Fußball ein ganz geeigneter Indikator dafür, wie damals der Patriotismus beschaffen war: Er richtete sich auf die Städte und Regionen, scherte sich einen Dreck um die Nationalmannschaft und wandte sich im Zweifel, dann aber als tief empfundener Chauvinismus, gegen Berlin, die Hauptstadt der DDR.

Nationalist zu sein, ist schon ein hartes Los. Aber »Sozialistischer DDR-Nationalist« zu sein, und nur das wäre laut Verfassung erlaubt gewesen, das war sogar sprachlich unzumutbar. »Meine Heimat DDR« hieß in der FDJ-Zeitung »Junge Welt« eine Kampagne, die Ende der achtziger Jahre der Massenflucht entgegengeschaltet wurde. Dazu gab es eine Vignette wie aus einem Nazi-Märchenbuch, nur dass in dieser Berg-und-Tal-Idylle zusätzlich eben die Buchstaben D, D und R herumlagen wie ein Haufen zusammengekehrter Büroklammern.

Die gängigste Bezeichnung für die Einwohner dieser sehr sachlich geratenen Idylle war »DDR-Bürger«. Aber das war gleichzeitig auch die allerabsurdeste. Nicht nur, dass es ohne umständliche Exkurse auf den Unterschied zwischen *bourgeois* und *citoyen* schwer vermittelbar ist, wenn sich ausgerechnet die Überwinder der bürgerlichen Gesellschaftsordnung mit robespierrehaftem Pathos als Bürger bezeichnen sollen. Gravierender ist, dass sie in dieser anklägerischen Schärfe vor allem von den Staatsorganen so bezeichnet *wurden*. Dass die Anrede »Bürger« gar nicht anders gedacht werden konnte, als im Vorwurfston der Volkspolizei. Dass zu »Bürger« automatisch der Zusatz gehörte: »Was haben wir denn da falsch gemacht?«

Sogar bei den Ausweiskontrollen auf der Prager Straße – das war in der Dresden der Ort, wo sich nachmittags traditionell die jugendlichen Rowdies und Rädelsführer zusammenrotteten –, sogar dort vergaßen die Beamten selten das einem Fünfzehnjährigen gegenüber vielleicht etwas übertrieben förmliche »Bürger, die Papiere bitte«. Sie selbst ließen sich vom Bürger mit »Genosse« ansprechen. »Und wer von den beiden Genossen«, wurden die Polizeistreifen dann von den Bürgern gern zurückgefragt: »Und wer von den beiden Genossen ist jetzt der,

der lesen und schreiben kann?« Dann ließen die Genossen traurig den Kopf hängen, und zwar so, dass sie von oben her in das graue Funkgerät hineinmurmeln konnten, das ihnen auf der linken Brust baumelte. Die bürgerliche Bezeichnung dafür war »Elektropetze«.

Meine Lektion als DDR-Bürger war also, dass Identität in erster Linie eine Anschuldigung ist. Deshalb war ich auch nur ganz am Anfang ein kleines bisschen überrascht, dass sich im Winter 89/90 alle um mich herum plötzlich freiwillig als »Sachsen« bezeichneten. Und dass sich Potsdamer und Berliner allen Ernstes selber »Preußen« nannten, fand ich zunächst mal sehr mutig und selbstkritisch. »Preußen« war mir bis dahin nur als Kurzform von »Preußenschweine« geläufig.

Immerhin war ich dann bereits abgehärtet, als einen Sommer später auch mir die schwerste Bürde aufgeladen wurde, die man in diesem Leben tragen kann: ein »richtiger Deutscher« zu sein. Und dann auch noch im Ausland. Man fühlt sich in diesem Moment sofort ungefähr fünfzig Kilogramm dicker.

Es war der Sommer, als auch wir erstmals mit Westgeld an den Balaton konnten. Die ungarischen Zeltplatzwächter schickten nur noch die Ungarn und die Tschechen (und wer sonst noch immer noch nicht zahlungsfähig war) hinters Klo. Zittauer Mädchen hielten einen für einen Westdeutschen, weil man gelangweilt in einer langweiligen Diskothek dahindämmerte, und weil ihnen gelangweiltes Dahindämmern eminent westdeutsch vorkam.

Es war aber gar nicht unbedingt die Währungsunion, die in jenem Sommer die nationale Frage endgültig klärte. Es war eine Woche später der Gewinn der Fußballweltmeisterschaft. Es war Beckenbauers Prophezeiung, ergänzt um die Spieler aus dem Osten werde Deutschland »auf Jahre hinaus unschlagbar« sein. Hier kamen wieder die Holländer ins Spiel. Jetzt aber nicht mehr als freundliche Zeltplatznachbarn, sondern als vierschrötige Feyenoord-Hooligans: »Beckenbauer! Hitler! Scheiß-deutscher!«

Man muss nicht zwangsläufig mit einem Schwert zu etwas geschlagen werden, es geht auch mit Worten und Fäusten.

Sozialwissenschaftler haben festgestellt, dass die Identifikation mit der Bundesrepublik Deutschland seit der Wiedervereinigung im Osten eher abgenommen hat. Dass seither das gilt, was Honecker immer wollte, aber nicht geschafft hat: ein größeres Zugehörigkeitsgefühl zu den neuen Ländern als zum Großen und Ganzen. Die Geburt der Ostdeutschen durch die Wiedervereinigung. Mir kommt es zusätzlich so vor, als hätten dadurch auch die Westdeutschen erst so richtig zu sich selbst gefunden. Dass diese ständig im Selbsthass vor sich hin taumelnde Bundesrepublik in den Grenzen von 1989 heute nicht mehr als protofaschistisches »Schweinesystem«, sondern ganz überwiegend als gleichermaßen weltoffenes wie flokati-kuscheliges Paradies memoriert wird – dazu hat es ganz offensichtlich erst den Osten und die Wiedervereinigung gebraucht. Oder jedenfalls die so genannte »deutsche Bestie«, die 1989 wieder aus ihrem wohlverdienten Käfig geschlüpft ist. Die »bunte, fröhliche, kosmopolitische Bundesrepublik«, die es angeblich vor dem 9. November 1989 gab und seither nicht mehr, die ist als solche mit Sicherheit erst an diesem Tage geboren worden, als Erinnerung und Phantomschmerz. Seit jenem Sommer ist dieses Land wenigstens retrospektiv doch noch zur wärmenden Heimat für Leute geworden, die sich das früher bestimmt nicht hätten träumen lassen. Das ging aber nur, weil sie von der Last ihres Deutschseins erlöst wurden. Durch den Osten. Durch jeden einzelnen wirklichen Neonazi in den neuen Bundesländern. Durch alle ahnungslosen Bockwurst-esser. Und von mir aus auch durch mich.

Die Bürgerrechtlerin Bärbel Bohley »wollte Gerechtigkeit und bekam den Rechtsstaat«. Normale Leute wollten in erster Linie die Deutsche Mark und bekamen Deutschland. Und das ist noch viel bitterer und in seiner Tragik fast ein Timm-Thaler-Geschäft. Das bessere Geld gab es nur im Tausch gegen das bessere historische Gewissen. Heute verstehen sich nicht wenige im Osten als die »richtigen Deutschen«, und aus genau diesem Grunde fühlen sich viele im Westen als »die besseren Deutschen«.

Dass sie unter diesen Umständen trotzdem immer wieder über den Solidaritätszuschlag schimpfen, ist einfach nur undankbar.

Solidaritätszuschlag ist übrigens mein persönliches Wort des ganzen Jahrzehnts. Ein wahnsinnig beliebtes Thema. Aber leider nicht abendfüllend. Danke, aber ich zahle schon für mich selber. Vielmehr lässt sich dazu nicht sagen. Höchstens noch, dass es natürlich ein bisschen traurig ist, dass die deutsch-deutschen Beziehungen inzwischen von so viel fiskalischer Kälte durchweht werden, dass die Solidarität heute ein Zuschlag ist, nachdem sie jahrzehntelang ein Abschlag war und dabei sogar die Züge katholischer Heilsökonomie angenommen hatte: Die so genannten Ostpakete, die sich in den Händen ihrer Empfänger zu Westpaketen verwandelten, kamen einem nationalen Ablasshandel gleich. Sie brachten den einen guten Kaffee und abgelegte Jeans und den anderen ein besseres Gewissen und eine Steuerersparnis. Alle waren glücklich.

Ich würde heute auch lieber wieder Pakete mit schönen Dingen geschickt bekommen, statt Solidaritätszuschlag für die Kosten der deutschen Einheit und damit ja irgendwie auch der deutschen Teilung und letzten Endes also des dämliches Krieges zahlen zu müssen. Und wenn ich von den Gewinnlern dieses Krieges weiterhin immer wieder vorwurfsvoll auf den Solidaritätszuschlag angesprochen werde, dann kann es eines Tages passieren, dass ich mal ausschließlich den zweiten Teil des Wortes beherzige.

Außerdem kann es so schlimm gar nicht sein. Denn der Solidaritätszuschlag hat es nur ein einziges Mal, und das war gleich 1991, überhaupt in die Top Ten der »Wörter des Jahres« geschafft, und da auch nur an den unteren Rand der Liste. Die von der Gesellschaft für Deutsche Sprache ermittelten »Wörter des Jahres« sollen als »verbale Leitfossilien« den aktuellen Stand der öffentlichen Debatten spiegeln und Einblicke in die augenblickliche Seelenlage des Landes erlauben. Und da stehen dann gewöhnlich Worte wie *Gesundheitsreform* ganz oben. Und zwar nicht erst in den letzten Jahren. *Gesundheitsreform* war Wort des Jahres 1988, des letzten Jahres der alten Bundesrepublik. *Gesundheitsreform* gewann knapp vor *Robbensterben* und *Kälbermastskandal*: Die Welt war aus den Fugen, und damit war die Bundesrepublik ganz bei sich.

Ein Jahr drauf lauteten die Worte dann *Trabi, Mauerspecht, runder Tisch, Begrüßungsgeld, Flüchtlingsstrom, chinesische Lösung, Montagsdemonstrationen* oder *BRDDR* – und ich erinnere mich, dass diese Buchstabenkombination oft als Länderkennzeichen an Wartburgs und Ladas klebte. Denn das Rennen machte 1989 die *Reisefreiheit*. Die Liste hatte fast ausnahmslos mit dem Umbruch im Osten zu tun. Und die des folgenden Jahres mit der Vereinigung: *neue Bundesländer, vereintes Deutschland, Zwei-plus-Vier-Gespräche, polnische Westgrenze* sowie, erste Schatten schleichen sich ein, *sozial abfedern*. 1991 kippte die Stimmung: *Besserwessi, abwickeln, Kurzarbeit Null, Ausländerhass, Stasisyndrom* und eben *Solidaritätszuschlag*.

1992 wurde noch ungemütlicher. *Rassismus, Fremdenhass, Rechtsruck* und als Gegenmittel die *Lichterkette* – das waren, neben dem heute fast wieder vergessenen *Gaucken*, diejenigen Begriffe, die noch am meisten mit dem Osten Deutschlands zu tun hatten. Den Rest des Landes beherrschte *Politikverdrossenheit*. 1993 gab es noch die *Ostalgie*. Danach musste der Osten schon so apokalyptische Kaliber wie die *Jahrhundertflut* von 1997 oder zuletzt die *Jahrtausendflut* aufbieten, um der öffentlichen Aufmerksamkeit überhaupt noch ein Augenbrauenzucken abzuringen. Insofern ist es ein Glück, dass 2003 *das alte Europa* gewonnen hat und nicht etwa die *DDR-Show*. Denn dann hätte sich in der öffentlichen Wahrnehmung das Bild des Ostens zwischen Mauerfall und heute endgültig vom Euphorischen über das Bedrohliche ins Katastrophische gedreht.

Krieg und Frieden

Die Geschichte der Ostdeutschen als solcher begann also 1989. Und dieses Jahr wiederum begann damit, dass mir gleich in seinen ersten Minuten ein unheimlich großer und unheimlich betrunkener Punker seinen ledernen Arm um meine schmalen Schultern schlug, dann das Feuerzeug an den Docht einer Feuerwerksrakete hielt, die er in der anderen Hand trug, und mir zuversichtlich ins Ohr brüllte: »Dieses Jahr machen wir eine Revolution!«

Daraufhin ließ er die Rakete wie eine Panzerfaust durch die Vorstadtstraße zischen, und ob und in wen sie dann eingeschlagen ist, das haben wir beide gar nicht mehr mitbekommen. Denn der Punker ging unmittelbar nach dem Abschuss torkelnd zu Boden, und mich nahm er, weil ich in seinem ledernen Schwitzkasten feststeckte, dabei mit. Was im weiteren Verlaufe dieses Jahres passierte, legte zum größten Teil den Eindruck nahe, dass ich dort bewusstlos liegen geblieben war und wirres Zeug geträumt hatte: In den Straßen werden die alten Gaskandelaber abmontiert und an nostalgische Gemeinden in der Bundesrepublik verhökert, kurz darauf macht der Dredner Oberbürgermeister sogar den Vorschlag, in den Frisörläden die Haare der Leute zusammenkehren zu lassen und an westdeutsche Perückenproduzenten zu verkaufen. In den Statistiken ist die DDR trotzdem immer noch die zehntstärkste Industrienation der Welt. Honecker sagt, der Sozialismus sei nicht mehr aufzuhalten. A., ein Freund, will der Liebe wegen seine drei Jahre Armee nicht irgendwo in Mecklenburg absitzen, er wird, um zu Hause bleiben zu können, Bereitschaftspolizist – und muss in dieser Funktion kurz darauf seine Kumpels und dummerweise auch seine große Liebe zusammenknüppeln. Wenig später klopft es an das Tor, das B., ein weiterer Freund, aus ähnlichen Gründen als Wehrpflichtiger für gewisse Sicherheitsorgane zu bewachen hat. »Wer da?«, fragt B., »Das Volk«, wird ihm geantwortet. Und abermals nur wenig später berichtet Freund C., dass er soeben in Westberlin gewesen sei, wo es abgesehen von den Autos genauso aussehe wie im Osten – und dass er sein Begrüßungsgeld beim Hütchenspielen zu verdoppeln versucht habe, leider erfolglos.

Am Ende dieses Jahres rieb ich mir jedenfalls überfordert die Augen, wie jemand, der irgendwo aufwacht und nicht auf Anhieb weiß, wo er ist – und was ich sah, war immer noch eine Straße. Regen prasselte gegen eine Windschutzscheibe, und immer, wenn der Scheibenwischer ihn für einen kurzen Moment da weggeschaufelt hatte, wurde ein Mercedesstern sichtbar und jenseits des Sterns eine schwarze Straße, auf der sich rote Ampellichter spiegelten. Es war eine große Kreuzung im Nirgendwo, die von Tausenden Verkehrsschildern, Verbotsschildern, Gebotsschildern, Hinweisschildern und Ampeln vor der gespenstischen Leere bewacht wurde, in der es nichts zu geben schien als kilometerweit nur glatten schwarzen Asphalt. Im Westen asphaltieren sie sogar die Feldwege, erinnerte ich mich, wir hatten das anfangs kaum glauben wollen und sehr darüber gelacht.

Ich befand mich also im Westen. Zu Besuch bei netten Leuten, die in einer sehr aufgeräumten Stadt mittlerer Größe in Niedersachsen arbeiteten und außerhalb der Stadt im Grünen wohnten – oder in dem, was der Asphalt an Grünem noch übrig gelassen hatte. Alles sah sehr tadellos und frisch aus in dieser Stadt, besonders die historischen Sehenswürdigkeiten machten den löblichen Eindruck, eben erst fertig gestellt worden zu sein. Sogar die Gleichaltrigen wirkten seltsam neu und säuberlich und unverdorben. In ihrer Schule, die ich mir bei dieser Gelegenheit einmal ansah, duzten sie die Lehrer, von denen sie hinterher aber vermutlich trotzdem Zensuren bekamen, was ich mir von Duzfreunden eher verbitten würde. Aber im Gegensatz zu uns autoritär geprägten Bildungskrüppeln wurden sie auch nicht von herrisch herumdröhnenden Schulklingeln verschreckt; ein verhaltenes Summen, das sich für sich selbst zu entschuldigen schien, geleitete sie sanftmütig durch ihre Tage.

Es war überhaupt ein sehr gutherziges und gepflegtes Bild, das die Bundesrepublik, jedenfalls in diesem niedersächsischen Städtchen, abgab. Ein Land des Lächelns, eine Demütigung für jede Staatsbürgerkundelehrerin: nirgendwo brennende Mülltonnen vor den Arbeitsämtern, weder Schlangen vor den Suppenküchen noch verprügelte DKP-Demonstranten. Sondern überall hygienische Burger-King-Filialen und Wahlplakate für einen gewissen Gerhard Schröder, der gern Ministerpräsident werden wollte. Dieser Westen gab sich noch nicht einmal die Mühe, dem Bild nahe zu kommen, das seine eigenen Medien von ihm zeichneten. Er sah nicht aus wie in »Monitor«, sondern noch viel, viel bedrückender: wie in den Waschmittelreklamen des Vorabendprogramms. Es hätte mich weniger verstört, wenn seine Personifikation ein dahintaumelnder Junkie gewesen wäre, leider war es aber der entsetzlich nette Junge von der Kinderschokolade. Am Anfang unterstellte ich noch eine allumfassende Ironie. Am Schluss hatte ich immer mehr den Eindruck, dass die Jugendlichen dort alles, was sie sagten, mit bewunderungswürdiger Aufrichtigkeit tatsächlich auch genauso meinten. Jedenfalls war ich gerührt, dass es so etwas Unglaubliches in dieser Welt noch gibt: Menschen, die nicht schon im Kindergarten zur Schizophrenie erzogen worden waren.

Manche von ihnen würden sich später vielleicht Botoxspritzen in die schlaffen Stellen ihrer Biografien jagen und behaupten, sie hätten eine Weile in London oder Kalkutta »gelebt«, wenn sie da während des Studiums vielleicht mal zwei Monate Urlaub gemacht haben. Sie hatten es derart gut in ihrer westdeutschen Provinz, dass man sie fast überall in der Welt darum beneiden musste – nur sie selber würden später darunter ein bisschen leiden und sich wünschen, eine härtere Kindheit gehabt zu haben. Heute ist das eine Gewissheit, damals in Niedersachsen war es zumindest eine Ahnung. Und wenn man nicht genauso werden wollte, dann musste man dieses Lotophagenland schleunigst wieder verlassen und nach Hause zurück. Denn das sind die Momente, in denen einem erstmals wirklich klar wird, wo das für einen selber ist.

Und in diesem Falle war das also Dresden. Eine Stadt, die jahrzehntelang friedlich, selbstgewiss und für westliche Fernsehsender unerreichbar im Elbtal gelegen hatte – das deshalb auch das Tal der Ahnungslosen genannt wurde – und zu diesem Zeitpunkt einen gewissen Ernüchterungsprozess durchmachen musste. Der Mauerfall hatte ein paar unschöne Dinge ans Licht gebracht. Es stellte sich heraus, dass es sich möglicherweise nur mit Einschränkungen um die schönste und bedeutendste Kulturmetropole der Welt oder jedenfalls nördlich der Alpen handelte. Dass der weltberühmte Original Dresdner Christstollen nicht jedem in dem Maße gemundet hatte, von dem die brieflichen Rückmeldungen kündeten, sondern als »zu trocken« oftmals gleich mit dem ungeöffneten Karton in den Abfall entsorgt worden war. Und dass es Leute gab, die den originalen Wiederaufbau zerstörter Originale mit originalen Steinen und originalen Handwerkern nicht originell, sondern albern fanden. Ein paar Jahre nach der Wende wollte außerdem eine Lokalzeitung ermittelt haben, dass der statistische Durchschnittseinwohner der Stadt eine 56 Jahre alte Verwaltungsangestellte ist. Das entsprechende Nachtleben kann man sich vorstellen.

Wenn sich Städte langweilen und nicht mehr wichtig genug fühlen, entwickeln sie mitunter einen merkwürdigen Ehrgeiz, als verflucht heißes Pflaster zu gelten. Das war zuletzt anlässlich des Aufstiegs von Ronald Barnabas Schill eindrucksvoll in Hamburg zu erleben: Selbst Bewohner so notorisch windstiller Gegenden wie Wandsbek oder Farmsen berichteten plötzlich, dass man praktisch keinen Fuß mehr vor die Tür setzen könne und zum Erholungsurlaub in die Bronx fahren müsse, so gefährlich, wild und abenteuerlich sei es. Ich würde diese Taktik hiermit gern übernehmen und den Hamburgern zurufen, dass das lächerlich ist, dass für mich ihre Stadt ein Kurort war zur Erholung von den noch viel gefährlicheren Gefahren Dresdens.

Über die Schönheiten der Stadt kann sich jeder in Kenntnis setzen, indem er sich einen Reiseführer kauft. Darin wird viel Richtiges stehen, dem jedoch dringend in großväterlichem Tonfall hinzugefügt werden muss, dass die Idylle grundsätzlich eine vergiftete ist. Es ist zwar zutreffend, dass die vielen Kurven in der Elbe und in den Barockfassaden die Leute ständig in einen schwärmerischen Taumel versetzen und dass sie oft ganz weich und gemütlich werden von dem ewigen Sandstein und der Original Dresdner Eierschecke (einem Kuchen, der besonders für Leute mit dritten Zähnen gut geeignet ist). Manchmal werden sie aber auch furchtbar aggressiv und asozial davon, wovon sich im Übrigen jeder überzeugen kann, der dort mal versucht, Auto zu fahren.

Deshalb ist es selbstverständlich für Dresden auch absolut unzutreffend, die Ereignisse von 1989 als »friedliche Revolution« zu bezeichnen, so als sei das alles ein Kirchgang von zauselbärtigen Bürgerrechtlern gewesen. Kann ja sein, dass sie damals in Leipzig Kerzen in der Hand hielten; in Dresden hatten die Leute Anfang Oktober 1989 jedenfalls häufiger Motorradhelme unter dem Arm, wenn sie abends ein bisschen durch die Innenstadt schlendern gingen, und die wenigsten von ihnen waren Motorradfahrer. Der Prachtboulevard Prager Straße, der zu dieser Zeit noch ein mustergültiges Ensemble sozialistischen Städtebaus war, sah damals ein paar lange Tage lang ein bisschen so aus wie Kreuzberg am Ersten Mai. Der Hauptbahnhof, wo die tagelangen Krawalle ihren Ausgang genommen hatten, lag inzwischen als eine dekorative Ruine im Hintergrund. Aus verkohlten Polizeiautos bühnennebelte letzter Rauch. Die Gäste des Restaurants »International« verschluckten sich an ihrem Würzfleisch, weil ständig blutig geschlagene Leute gegen die Panoramascheiben schepperten. Und »Keine Gewalt« wurde immer dann am lautesten gerufen, wenn die Polizisten anfingen, gereizt auf die vielen Pflastersteine zu reagieren, mit denen sie eingedeckt wurden.

Gut, es hatte keine Toten gegeben. Die gab es erst ein paar Monate später, als die Gewalt nicht nur vom Volke ausging, sondern dort regelrecht grassierte. Der erste hieß Jorge Gomondai, stammte aus Mosambique und ist der Grund, weshalb Dresden dann natürlich auch die Nase vorn hatte, als die Rechtsradikalen dazu übergingen, Leute, die ihnen nicht passten, nicht nur zusammenzuschlagen, sondern auch umzubringen. Sie hatten ihn nachts aus einer fahrenden Straßenbahn geschmissen, wo er im zweiten Wagen saß. Und das konnte man sich damals noch nicht mal als Einheimischer erlauben. Kein Mensch, der nicht zufällig selber Neonazi war, stieg nach Einbruch der Dunkelheit in einen Straßenbahnwagen, wo er keinen Kontakt zum Fahrer halten konnte. Es war überhaupt eine Zeit, in der man froh sein konnte, wenn man im Wehrlager noch rechtzeitig gelernt hatte, seine Umgebung auch nach militärstrategischen Gesichtspunkten wahrzunehmen. Dresden, die etwas verschlafene Residenzstadt, die normalerweise in weiten Teilen nachts nicht spannender ist als ein nordfranzösischer Kartoffelacker, bot in dieser Zeit immerhin überall Nervenkitzel, die Ernst Jünger begeistert hätten. Eine ruhelose Jugend war da auferstanden und kam kaum noch dazu, sich hinzulegen; nachts traf sie mit Baseballschlägern bei erbitterten Scharmützeln aufeinander und tagsüber mit großen Rucksäcken beim Klauen im Kaufhaus.

Demokratischer Konsum

Diebstahl ist kein Kavaliersdelikt. Deshalb waren die ersten Jahre nach der Währungsreform auch keine besonders guten für harmonische Beziehungen. Es kam vor, dass die eigene Freundin einen schnöde versetzte, weil sie in einem Schallplattenladen beim Klauen erwischt worden war und zur Strafe nach Geschäftsschluss dort putzen musste; Plattenhändler haben ja mitunter sehr pädagogische Züge.

Es waren immerhin sehr gute Jahre für harmonische Versöhnungen: Sie habe während der Arbeit die ganze Zeit an mich »gedacht«, erklärte hinterher diese wundervolle Freundin – und überreichte mir große Stapel klangschöner Tonträger, darunter zum Beispiel auch einen, auf dem es heißt: »Shoplifters of the World Unite«.

Ein schönes Motto. Es war, als ob der Kapitalismus doch noch den Kommunismus auf den Weg brächte: Was Massenorganisationen wie der FDJ nie gelungen war, ergab sich durch das verlockende Warenangebot wie von selbst – die fast völlige Gleichschaltung junger Menschen in leidenschaftlicher Konsumption, die nur deshalb nicht als Kaufrausch bezeichnet werden kann, weil zum Kaufen das Bezahlen gehört, und genau das unterblieb hier weitgehend. Bevor nämlich in Ostdeutschland die Depression einsetzte, gab es auch hier erst mal eine Manie. Und das war vor allen Dingen die Kleptomanie.

Das plötzliche Warenüberangebot führte zu erstaunlichen Reaktionen. Junge Frauen nahmen nicht mehr ab, sondern zu: Etliche brachten es schon nach dem Besuch einer einzigen

Umkleidekabine auf den doppelten Hüftumfang. Unter den vielen Schichten gestohlener Kleidungsstücke glichen die Mädchen dann oft den Artischocken, die sie neuerdings so gerne aßen, am liebsten selbstverständlich, ohne zu zahlen.

Selbst musisch orientierte Mädchen hantierten jetzt leidenschaftlich mit Sägen, Zangen und Trennschleifern, denn aus den Röcken, Kleidern und T-Shirts mussten die Diebstahlsicherungen entfernt werden – jene sperrigen Metallbroschen, die an den Schranken der Kaufhausausgänge einen Alarm auslösen, der normalerweise den Dieb überführt. Normalerweise. Damals kam aus den Alarmschranken zwischen 10 und 18 Uhr aber ein Dauerton: Die Läden brummten.

Die neue Freiheit war unter anderem auch die Freiheit, ein und dasselbe Kleidungsstück nicht zweimal tragen zu müssen. Viele Sachen ließen sich auch gar nicht häufiger anziehen. Wenn einem die Knöpfe von der Hose schon beim ersten Gang aufs Klo ins Pissoir rieseln und wenn man deshalb umständlich Taschen oder Jacken vor den Schritt halten muss, damit man nicht mit offenem Hosenstall rumrennt – dann ist es schon ein tröstliches Gefühl, dafür nicht auch noch Geld ausgegeben zu haben. Es war, vorsichtig ausgedrückt, nicht immer die dauerhafteste Qualität, die da in die ostdeutschen Läden gehängt wurde – aber genau das nahm auch den moralischen Druck aus der Sache. Der Westen hatte endlich allen alten Kram aus seinen Lagern rausgekriegt, und das alleine ist ja schon eine Menge Geld wert.

Die grimmigen Klagen älterer Ostdeutscher sind völlig berechtigt: Ja, der Osten ist ausgeplündert worden. Im großen Stil von so genannten westdeutschen Glücksrittern, auf der Ebene des Einzelhandels allerdings von den eigenen Kindern. Das schafft keinen Gleichstand, aber immerhin.

Manchmal habe ich mich gefragt, ob die Eltern das alles nicht mitbekommen wollten. Oder ob sie einfach genug mit sich selber zu tun hatten, mit ihren Berufswechseln, Autokäu-

fen und den Rückübertragungsansprüchen der Wohnungsalt-
eigentümer. Vielleicht waren sie auch einfach nur ganz froh,
dass ihre Kinder neuerdings so viel an der frischen Luft waren
und sich in einem sehr weit gefassten Sinne sportlich betätig-
ten. Ich kannte Mädchen, die sahen jede Stange als Herausfor-
derung und räumten sie ab, egal ob die mit Kleidern bestückt
war oder mit Brathähnchen. Und ich kannte kräftige Jungs,
die mit Zigarettenautomaten unter dem Arm durch die Straßen schlenderten. (Allerdings fiel es in der Regel auch wesentlich leichter, diese Automaten aus den Wänden zu reißen, als
sie dann aufzubekommen.)

Es war eine Schnittmenge aus Sport und Ökonomie – und
dementsprechend auf Steigerung und Wachstum ausgelegt.
Irgendwo mussten die täglich größeren Berge von Schuhen,
Klamotten, Platten und Stereoanlagen schließlich hin. Es wurde unumgänglich, Schränke zu klauen.

Es war kein Problem, Schränke zu klauen. Wenn es nicht
so altmodisch ausgesehen hätte, wären prinzipiell sogar ganze
Schrankwände drin gewesen.

Je größer und teurer, desto einfacher. Videokameras, die in
abgeschlossenen Vitrinen verwahrt lagen, konnte man praktisch bereits als sein Eigentum betrachten. Die Verkäuferin
schloss auch gerne noch ein weiteres Mal auf, wenn man am
selben Tag wiederkam, um fehlendes Zubehör und den dazu
passenden Recorder zu besorgen.

Manche Diebstähle waren wie Hilfeschreie, wie Gebettel,
endlich mal erwischt zu werden. Es gab Leute, die standen mit
Schaufensterpuppen auf der Schulter in der Ladentür und
haben sehnsüchtig auf den Detektiv gewartet. Man hätte auch
die Kasse oder den Fußbodenbelag aus den Geschäften schlep-
pen können, es wäre nichts passiert. Sachwert und Dreistigkeit
verhielten sich leider umgekehrt proportional zum Risiko.
Aussteigewillige mussten erst wieder zum Ausgangsniveau zurück. Eine Bekannte, die über Jahre hinweg schon gar kein

Portemonnaie mehr eingesteckt hatte, wenn sie »einkaufen« ging, und sie war wählerisch gewesen beim »Einkaufen« gehen, diese Bekannte wurde schließlich in einer Drogerie mit einem lächerlichen Kajalstift erwischt – oder wie sie sagte: erlöst. Denn es war zeitweise wirklich wie ein Fluch, oder wie eine Epidemie. Und infiziert waren alle. Nachforschungen haben ergeben: In Berlin und Halle und Magdeburg ging es nicht anders zu. Da dieses Phänomen, soweit ich weiß, noch keinerlei Niederschlag gefunden hat in der ansonsten üppigen Soziografie der Ostdeutschen, schlage ich vor, es als Große Ostdeutsche Kollektivkleptomanie im Gedächtnis zu behalten – zumal es auch keinerlei soziale Grenzen kannte: Selbst besterzogene Sänger des Kreuzchores, Hoffnungsträger des klassischen Musiklebens, Jungs mit sauberen Kragen und vollendeten Manieren wurden damals aufgegriffen – mit einer schönen Scheibe Schostakowitsch unterm Pullunder. Und das war nichts Ehrenrühriges. Bei der Läusekontrolle erwischt zu werden, war unangenehmer.

Polizisten, Juristen und Rechtspfleger werden das Folgende unter Umständen nicht gerne hören: Aber die Kriminalität, die damals grassierte, wirkte der so genannten rechten Gewalt auf den Straßen gelegentlich effektiver entgegen als manche Sozialpädagogen-Ermahnung. Die Rede ist in diesen Fällen aber nicht von Ladendiebstählen, sondern von Einbrüchen und gestohlenen Autos. Es gab Neonazis, die bewiesen auf diesem Gebiet beachtliches Talent und erwarben sich auch über die ideologischen Gräben hinweg einen gewissen professionellen Respekt.

D. war so ein Fall. Als Neonazi berüchtigt, als Autofachmann berühmt. Als ihm ein Lenkradschloss verkantet war, bei 120 km/h auf einer Elbbrücke, als D. das Auto also an den Pfeilern dieser Brücke auf die Größe seiner eigenen Urne zusammengequetscht hatte – da wurden höhnische Spötter von ihren eigenen Leuten aus Gründen der Pietät zurechtgewiesen. D. sei zwar Nazi gewesen, hieß es, eine schlimme Sache, gewiss; gleichzeitig hieß es jedoch ehrfürchtig: »Aber er war *wirklich* ein Krimineller.« Es wirkte oft ein bisschen wie die Zusammenarbeit von amerikanischen Astronauten und sowjetischen Kosmonauten – wer konzentriert an derselben Sache herumpuzzelt, bricht sich zumindest nicht gegenseitig die Nasenbeine.

Es brauchte allerdings keinen Club of Rome, um zu erkennen, dass es auch hier gewisse Grenzen des Wachstums gab. Und auch die schienen mir, wie so vieles andere, etwa Anfang 1993 erreicht.

Es war an einem der ersten Tage dieses Jahres, als ich E., einen Freund, in seiner Wohnung besuchte, wo es an jenem Tag entsetzlich kalt war. Das Einzige, was zuverlässig vor sich hin qualmte, war nicht der Ofen, sondern E., der auch mir sofort Zigaretten anbot. Das heißt, er zeigte auf ein Regal, wie es normalerweise in Kaufhallen neben der Kasse steht, ein blechernes Gestänge voll mit Marlboro, Gauloises, Ernte 23, f6 und so weiter. Zum Heizen seien Kohlebriketts geeigneter als Zigaretten, gab ich zu bedenken. Das wisse er, maulte E., und das mache die ganze Geschichte ja so traurig:

E. war nämlich ein paar Tage zuvor mit einem Kompagnon zu D., der KFZ-Koryphäe, gegangen, weil sie für einen Einbruch ein ganz bestimmtes Auto benötigten. D. war jeden Abend in einem Spielsalon zu finden. Er saß da schief auf einem mit schwarzem Kunstleder bespannten Barhocker, ein Bein auf dem Boden, das andere wippend auf die Fußstrebe gestützt und drückte an Spielautomaten herum, die nur selten Geld, aber dafür umso öfter entsetzlich trötende Melodien ausspuckten. D. rieb sich missmutig mit der Hand im Schritt, als er E.s Begehr angehört hatte, und fragte dann sehr sachlich: »Was für ein Auto?« Sie orderten einen *leeren* Kleinlaster einer bestimmten Marke. Das war nicht einfach zu finden, diese Autos werden gewöhnlich von Handwerkern gefahren, die hintendrin immer alles voller Kram haben. Aber hierin lag die spezifische Qualität von D. – Autos aufbrechen ist nicht sonderlich schwer, auf Anhieb das richtige Auto finden, dagegen schon. Deshalb war er sein Geld wert. Und weil D. ohnehin keine Glückssträhne hatte an diesem Abend, ging er das Auto besorgen. E. und sein Mitarbeiter setzten sich an die Ecke der Bar, die dem Ausgang am nächsten lag und prosteten mit ihren kleinen Bieren schüchtern zu den übellaunigen Schnauzbartnazis am Billardtisch hinüber. Eine halbe Stunde stand ihr Auto vor der Tür, und drei weitere Stunden später hatten sie routiniert und ohne Zwischenfälle eine Kaufhalle in einem Vorort ausgeräumt. Sie fuhren in dem guten Gefühl, genug Lebens- und Genussmittel sowie sauber abgepackte Kohlebriketts für den nächsten Monat geladen zu haben, nach Hause. Zuerst trugen sie das sperrige Zigarettenregal die Treppen hinauf. Als sie zur Tür hineinkamen, hörten sie von der Straße her einen Dieselmotor, der ihnen seit dieser Nacht bekannt vorkam. Fassungslos mussten sie vom Fenster aus zusehen, wie ihr Kleinlaster Gas gab und mitsamt ihrer Beute als Beute eines anderen um die Ecke bog. E. war noch Tage lang völlig verstört über die Tiefe dieser menschlichen Abgründe.

Besorgte Eltern wissen: wer sich mit Ladendiebstählen einmal auf die schiefe Bahn begibt, rauscht an deren Ende unweigerlich ins Drogenelend. Was besorgte Eltern häufig nicht wissen: Auch mit Mauer und Stacheldraht schützt man die Jugend eines Landes höchstens vor den hochwertigen Rauschgiften und lässt sie dafür mit den häufig nicht minder gesundheitsgefährdenden Ersatzstoffen allein.

F. zum Beispiel hatte seine Drogenkarriere bereits sehr früh begonnen, schon in der DDR. Nicht in schummrigen Tanzlokalen in Ostberlin oder im Ausland, wo einem zwielichtige Typen aus dem Westen gewisse Sachen in die Cola rieseln lassen, während man auf dem Klo ist. Sondern ganz normal zu Hause im Badezimmer seiner Eltern, wo, wie bei allen ordentlichen Leuten, zwischen den Waschmitteln ein braunes Fläschlein Fleckentferner stand. Der Fleckentferner hieß »Nuth« – und dieser Markenname ist ausnahmweise wirklich mal erwähnenswert, weil sich davon das Verb »nuthen« und davon wiederum das Adverb »benuthet« ableitete. In dem damit beschriebenen Zustand wäre es nämlich sehr schwer gewesen, »Ich bin fleckentfernt« zu formulieren.

Sehr oft habe ich F. mit großen, ratlosen Augen durch sein eigenes Kinderzimmer taumeln sehen. Beim ersten Mal war das ein bestürzender Anblick für mich gewesen. »Da war ein Fleck«, hatte F. gelallt, als er, unsicher vom Fußboden heraufblickend, neben mir auch noch seine Mutter im Türrahmen auftauchen sah. Dabei hatte er mit demjenigen Arm, von dem er dachte, dass er ihn nicht zum Aufstützen brauche, einen großen bedrohlichen Kreis in die Luft über der Auslegeware gemalt, offensichtlich um anzudeuten, wie groß der Fleck gewesen war, enorm groß nämlich, von waldseeartigen Ausmaßen. Dann hatte er behauptet, so lange darauf herumgeschrubbt zu haben, bis der Fleck nicht mehr zu sehen und sogar der Fleckentferner gänzlich verdunstet war, und zwar leider direkt in seine Nase hinein. Und jetzt sei ihm deshalb ein bisschen übel von dieser, wie er annahm, unbedingt lobenswerten Hausarbeit. Aber seine Mutter hatte nur sehr ernst und besorgt geschaut, ihm eine runtergehauen, was er trotz seines Alters und seiner Kräfte überraschend klaglos akzeptierte, und dann hatte sie das Nuth genommen und für immer aus ihrem Haushalt verbannt.

Fleckenentferner gehörten nun nicht direkt zu den Mangelwaren, sie kosteten nicht viel und wurden im Allgemeinen umstandslos auch an Minderjährige abgegeben. Selbstverständlich gab es in der DDR keine Drogen, es gab nur, wie in jedem souveränen Staat der Erde auch, Fleckentferner.

Ich hatte lediglich manchmal die Sorge, dass etwas, das zum Entfernen da ist, diesen Job an Gehirnen genauso effektiv verrichtet wie an Textilien. »Gibt ja nischt in der Zone« hatte F. sich dann jedesmal zu rechtfertigen versucht, so, als gehörten Rauschmittel zu den herkömmlich mangelnden Konsumgütern. Dabei sollte gerade er in der Folgezeit unter Beweis stellen, dass auch die so genannte Zone dem findigen Selbstversorger ein paar gute Möglichkeiten bot, sein Bewusstsein zu erweitern oder zu vernebeln, je nachdem. Ich selbst habe ihn erwischt, wie er aufs Dach seines Elternhauses stieg, um in der Dachrinne Gras auszusäen. Es wachse dort ohnehin so viel Unkraut, argumentierte er, warum also nicht auch mal was Nützliches.

Nur mit Mühe konnte ich ihn allerdings davon abhalten, sich schon als Heranwachsender gezielt mit Bier und Bratwürsten eine Wampe anzulegen, damit er ganz bestimmte Appetitzügler verschrieben bekam, die es nur in der DDR gab, weil sie nach dem bundesdeutschen Betäubungsmittelgesetz der Droge Speed gleichkommen.

Zum Schluss habe ich ihn sogar »in die Pilze« gehen sehen. Ich hatte gar nicht gewusst, wie überaus fruchtbar die Waldböden des Ostens sind. Die Goa-Leute, die später, in den Neunzigern, immer zu den Raves nach Brandenburg rausgefahren sind, haben das ja ebenfalls sehr zu schätzen gewusst.

Seine Eltern hatten sich sehr über die Wanderungen gefreut, die F. da unternahm. Jetzt kommt der Junge endlich zur Besinnung, dachten sie. Genau das kam er aber immer seltener. Und das lag ganz klar an dem Fleckentferner. Zum Schluss sah ich ihn sogar einmal am hellichten Nachmittag mitten auf der Prager Straße, wo damals die Punker herumlungerten und sowjetische Reisegruppen erschreckten, mit der Nuthflasche und einer Plastetüte hantieren, und dann ausgerechnet in dem Moment seine Nase tief in die Tüte stecken, als sich von hinten eine Polizeistreife näherte. »So, Bürger, wunderschönen guten

Tag«, flötete derjenige, der das Funkgerät trug, die Elektropetze, wie auch F. normalerweise gesagt hätte; aber F. sagte
diesmal nichts, er fragte auch nicht, welcher von den beiden
lesen und welcher schreiben könne. Er schaute einfach nur aus
großen Augen und sehr starren Pupillen über den Rand seiner Tüte in die sadistisch lächelnden Gesichter der Polizisten,
und die schauten auf einen F. herab, der eine lächerliche Tüte
vor dem Gesicht trug, in die er seine Nase hineinschob. Das
ließe sich alles nur sehr schwer erklären, fand F. Deshalb beschloss er, seinen Fehler wieder gut oder die ganze Sache
jedenfalls rückgängig zu machen und fing an, mit aller Kraft
in die Tüte hineinzupusten, bis sie einem Luftballon ähnelte,
der nun zwischen ihm und den Polizisten schwebte. F. wollte
offenbar die Beweismittel vernichten. Deshalb machte es kurz
darauf Peng, die Polizisten bekamen jeder ein paar Spritzer
Fleckentferner auf die Uniformen, und F. kippte, bedröhnt
und erschöpft, nach hinten in den Springbrunnen, wo große
stählerne Pusteblumen ihr Wasser auf sein totes Gesicht herun-
terregneten.

F. genoss dann umso mehr die kurze Zeit nach dem Mauerfall, in der sich Polizisten ratlos zufrieden gaben, wenn er ihnen
erzählte, die braune Knetmasse da in seinem Tabakbeutel, die
brauche er zum Zigarettendrehen. Als die Polizisten sich allenfalls darüber wunderten, dass sich die reichen Westdeutschen
ihre Zigaretten tatsächlich selber drehen müssen. Dabei hatte
F. nur einen hauchdünnen Wissensvorsprung gehabt; seinen
ersten Haschischklumpen hätte er beinahe in eine Tasse heißes Wasser geworfen, weil er ihn für einen Brühwürfel hielt.
Kiffen hatte er bis dahin nur mit Gras gekannt. Und schon gar
nicht mit wirkungsverstärkenden Hilfsmitteln. Aber inzwischen waren Häuser besetzt, Omatische reingestellt und Sofas
drum herumgruppiert worden. Waren abenteuerlustige Menschen aus dem Westen rüber- und Abgehauene zurückgekommen und hatten auf den Sofas rund um die Hausbesetzertische

mit ihren Technologietransfers einen toxikologischen Rüstungswettlauf in Gang gesetzt, der eigentlich nur in den Kategorien der Automobilbranche zu fassen war: Die Inhalationsgeräte wurden immer größer, schneller, leistungsfähiger. Den vergleichsweise ungeübten F., der aber unbedingt mit den Westlern mithalten wollte, hatte die Beschleunigung anfangs oft beträchtlich in die Polster gedrückt. Einmal fand ich ihn nackt und von oben bis unten mit dickem Filzstift unsittlich tätowiert. Es galt in diesen Kreisen die befremdliche Regel: Wer »abkackt«, wird angemalt. Der Anpassungs- und Leistungsdruck auf die Ostdeutschen war damals auch auf diesem Sektor enorm. Damit ihm das nicht allzu oft geschah, übte F. fleißig und stellte sich dabei so geschickt an, dass er schon bald in spektakuläre Dimensionen vorstieß. Da das Haus, in dem er damals wohnte, nicht über ein funktionierendes Sanitärsystem verfügte, ging F. jeden Morgen nach dem Aufstehen ins Nordbad – eine klassische Bade- und Duschanstalt, und als solche eine äußerst wichtige und verdienstvolle Einrichtung in der von Außenklo-Altbauten geprägten Äußeren Neustadt von Dresden. Dort nahm F. eine Zeit lang jeden Vormittag ein ausgiebiges Wannenbad – und nutzte die gefüllte Wanne, in der er da saß, gleichzeitig als Wasserpfeife. F. war jeden Mittag gegen zwölf wahnsinnig sauber. Und wahnsinnig bedröhnt.

Das ließ unseren Kontakt etwas leiden. Gespräche mit starken Kiffern können wegen der ungleichen Taktung des Denkens und Sprechens ja schnell anstrengend und ermüdend werden. Zum Glück kippte das schon kurz darauf ins Gegenteil um. Als endlich der ganze Rest kam. Die Pillen, das Kokain, das Speed, eigentlich alles – bis auf Heroin.

Das frage ich mich übrigens bis heute: wieso ausgerechnet kein Heroin oder jedenfalls kaum? Man sieht im Osten so gut wie nie Junkies, obwohl genau das am Anfang aller düsteren Prophezeiungen gestanden hatte: Eine orientierungs- und arbeitslos gewordene Jugend, die sich vor den sozialen Umbrüchen und Zumutungen in die irrlichternden Verlockungen der Rauschgifte flüchtet und den konsequenten Weg der Alltagsflucht bis an die Nadel geht, an dessen Ende sie erbärmlich in Bahnhofstoiletten verreckt, während ihr noch die Spritze im Arm und womöglich ein gewissenloser Freier im Hintern stecken. Aber so ist es nicht gekommen. Bestimmt gibt es inzwischen auch erschreckend viele Junkies aus dem Osten am Bahnhof Zoo und in Hamburg St. Georg. Aber immer, wenn da jemand tot aufgefunden wird und darüber was in der Zeitung steht, dann kommt er oder sie aus der Eifel, aus dem Bayrischen Wald oder aus Nordfriesland. Aus Gegenden, wo es an nichts fehlt, außer an Abwechslung vielleicht. Womöglich hat es auch nur mit den Mentalitäten zu tun, vielleicht ist Heroin als Langweilerdroge im Westen einfach besser aufgehoben.

In der ostdeutschen Provinz weiß ich dafür bis heute nie, ob die blutige Nase eines Hooligans von einer Prügelei oder vom Kokain herrührt. Und seit es als unterhaltsamer gilt, in Techno-Clubs verbotene Dinge einzunehmen, als auf der kalten Straße fremde Menschen zusammenzutreten, sieht man in Dresden auch sehr viel weniger marodierende Rechtsradikale als früher. Eine große, erfreuliche Befriedung der Nächte hat da stattgefunden. Was allein der Kontakt mit ukrainischen Händlern an kulturellen Vorbehalten ab- und an Brücken der Verständigung aufbaut, steht leider in keinem Sozialreport. Dabei jubeln heute sogar ehemalige Neonazis, wenn es heißt: »Die Russen kommen«.

Aber wie es so ist, wenn junge Leute in Deutschland mal Eigeninitiative entwickeln, von Konsumenten zu Kleinunternehmern aufsteigen und etwas fürs Gemeinwohl tun – dann kommt sofort der Staat und macht alles mit seinen kleinlichen Paragraphen zunichte. Seit den späten Neunzigern herrscht in Sachsen bayerische Härte in der Drogenpolitik. Und eine ganze Generation von Stimmungsträgern muss in Gefängnissen schmachten. Ein schwacher Trost ist nur, dass sie das in

Dresden-Klotzsche neuerdings in einem Gefängnisneubau tun kann, der von Architekturzeitschriften wie ein Nobelhotel beschrieben und gefeiert wurde.

In den Ostalgieshows, in denen ja sonst auch jeder Scheiß von früher noch mal ausgegraben wurde, habe ich übrigens das Nuth sehr vermisst. Wer freiwillig wieder Schlagersüßtafeln statt richtiger Schokolade isst, der greift aus Nostalgie bestimmt auch gerne noch mal zum Lösungmittel.

Auto-Aggressionen

Man muss wahrscheinlich befürchten, dass sich die Fernsehsender nach ihren Achtzigerjahre- und Ostalgieshows als Nächstes die Wendezeit vorknöpfen werden. Immerhin bargen diese zwei, drei anarchischen Jahre, bis die neue Ordnung halbwegs sicheren Fuß zu fassen begann, zur Abwechslung wirklich mal ein gewisses Unterhaltungspotenzial. Eine Art Wochenende zwischen DDR und BRD war das. Und die Werkssirene, die dann wieder zum geregelten Alltag zurückrief, wurde von fünf jungen Männern bedient, die aus Ostberlin und Schwerin kamen und sich Rammstein nannten.

Den ganz besonders antifaschistischen Pop-Publizisten springen seitdem zwar vor Abscheu die Gläser aus den Adorno-Brillen, weil diese Band vor allem im Ausland so erfolgreich alle martialischen Deutschlandklischees bedient. Dem Inland teilte das maschinelle Gestampfe dieser Musik aber vor allem mit, dass jetzt leider Schluss mit lustig ist – was ja tröstlicherweise immerhin besagt, dass es zumindest vorher mal eine sehr lustige Zeit gegeben haben muss. Dass mit dem Auftauchen von Rammstein neue, härtere und unerbittlichere Zeiten angebrochen waren, ließ sich schon daran ablesen, dass zwei der Mitglieder zuvor viele Jahre lang das genaue Gegenteil betrieben hatten: die Unterhöhlung der Verhältnisse durch sehr große Albernheit. Das taten sie unter dem Namen Feeling B. Und in einem Buch, das kürzlich unter diesem Titel erschienen ist, lässt sich sehr gut nachlesen, dass sie damit den Beweis einer Form von guter Laune lieferten, die so vermutlich nur im Osten möglich war. In teilweise unfassbar komischen Berichten wird da nämlich erzählt, wie die beiden damals noch halbwüchsigen Musiker Anfang der achtziger Jahre an einen ausgewachsenen und eher unmusikalischen Trinker namens Aljoscha Rompe gerieten.

Diese Figur steht wie ein tragischer Clown in der jüngeren Geschichte Ostdeutschlands und macht diese von ihren Rändern her erstaunlich deutlich lesbar. Sein Schicksal verhält sich wie eine traurig-komische Karikatur zum Lebensgefühl in der späten DDR, zum naiven Aufbruchsgeist der Wendejahre und zur Ankunft oder dem Scheitern in der Bundesrepublik.

Rompe war ein Funktionärskind und besaß aus familiären Gründen einen Schweizer Pass, mit dem er sich zunächst eine Zeit lang den Westen angeschaut hatte. Weil er auch nüchtern kein besonders guter Autofahrer war, zertrümmerte er den Lieferwagen der Versandfirma, bei der er daraufhin rausflog, und befand dann, dass doch eher »im Osten die Party ist«. Dort gründete er seine Band und besorgte für deren Touren einen »Robur LO«, der zuvor als Geldtransporter und Entstörfahrzeug gedient hatte und zu diesem Zeitpunkt faktisch ein funktionsunfähiger Haufen Schrott war. In den Ostalgie-Shows des Fernsehens sind gelegentlich gänzlich unprominente Rentner durch das Bild geschubst worden, weil sie sich in der DDR waghalsige Gefährte zusammengebastelt hatten, die sie verschmitzt als »Marke Eigenbau« bezeichneten. Ganz ähnlich ging Rompe vor, nur dass ihm der Einbau leistungsstarker Lautsprecherboxen und einer Küche mit Kanonenofen im Zweifel noch wichtiger war als ein funktionierendes Getriebe.

Dieser Bus war dann eine automobile Entsprechung zu der Musik, die seine Insassen fabrizierten. Und wenn er an den Horizonten der Landstraßen auftauchte, dann wirkte er so bedrohlich wie das Piratenschiff des Fliegenden Holländers – zumindest auf den Rest der DDR-Rockszene, die sich immer so große Mühe gab, tiefsinnige Texte zu singen zu einer Musik, bei der das Publikum mit den Händen über dem Kopf mitklatschte und »zum Nachdenken angeregt« werden sollte. Feeling B war, zugegeben, eher etwas für diejenigen, die sich lieber vom Alkohol anregen ließen und ihr Bier als »Trommel« bestellten: immer gleich ein ganzes Kellnertablett voll, denn was man hat, das hat man. Dass die Zensurbehörden so seltsam untätig blieben, ist überhaupt nur dadurch zu erklären, dass sie Rompes Gelalle nie richtig entnehmen konnten, wovon er eigentlich sang. Seine Kollegen würden später beteuern, es ebenfalls nur in Bruchstücken verstanden zu haben. Wenn sich doch mal ein Refrain entziffern ließ, dann lautete er typischerweise »Ohne Bewusstsein, das muss kein Verlust sein« – und haute damit die offiziellen Thesen zum Verhältnis zwischen Sein und Bewusstsein von den Füßen auf den Kopf. Aber Rompe ließ auch grundsätzlich die Farce der Tragödie vorausgehen: Dass ausgerechnet er nach der Wende beim Staat Fördermittel in unglaublicher Höhe locker machen und in höchst dubiosen Polit- und Kulturprojekten versenken konnte, wirkte damals schon wie eine Persiflage auf die viel weniger abenteuerliche, viel traurigere Subventions- und ABM-Ökonomie, die den Osten bis heute beherrscht. Während sich im Westen allmählich die Politikverdrossenheit breit machte, herrschte im Osten so etwas wie Politikbesoffenheit. Es war die Zeit der großen rührenden Aufrichtigkeit und Naivität – als die einen noch glaubten, die Demokratie liege auf dem runden Tisch, und als die anderen ihren besten Anzug anzogen, wenn Helmut Kohl irgendwo sprach. Rompe stach da gar nicht mal so sehr durch seinen Wahnsinn hervor, sondern dadurch, dass er sich den Optimismus länger bewahrte als alle anderen. »Man kann nicht immer die Schuld auf den Staat schieben«, erklärte er noch 1994 einem verdutzten Dokumentarfilmer, »es hängt von uns ab, von jedem Einzelnen, was er macht. Ob Sozialismus oder Kapitalismus: Wir siegen immer.« Dabei stimmte das für ihn persönlich schon damals keineswegs mehr.

1992 hatte ich ihn zuletzt auf einer Dresdner Bühne stehen sehen. »Ich such die DDR, und keiner weiß, wo sie ist«, sang er da. Und das waren ursprünglich nur ein paar lustige Zeilen aus den Tagen der Wiedervereinigung gewesen, als auf einmal ein ganzes Land von der Karte verschwunden war. Aber inzwischen klang das nicht mehr ausschließlich lustig, inzwischen benahm sich das Publikum so, als suche es sie wirklich. »In der UNO steht ein leerer Stuhl, darauf saß ein Mann aus Suhl«, lallte Rompe, während sein Gitarrist mürrisch über die Gitarre hinweg zuschaute, wie unten im Saal eine Schlägerei begann. »In Kenia gibt es eine Botschaft wenja«, trällerte Rompe, der das alles gar nicht mitzubekommen schien, »diesmal traf es einen Mann aus Jena.«

Wenig später nüchterten seine Kollegen radikal aus, machten Schluss mit dem Schlendrian, gründeten Rammstein und verdienten endlich mal Geld.

Ihre Musik war so massiv, uncharmant und effizient wie eine Klang gewordene S-Klasse. Rompe suchte dagegen weiterhin den Rausch, röchelte sich wie ein zerfallender Trabant durch den Rest der Neunziger und starb 2000 vereinsamt und als esoterische Nervensäge bemitleidet in einem Bauwagen auf einer Stadtbrache in Berlin Prenzlauer Berg, die inzwischen auch schon längst mit Maisonettewohnungen in Bestlage voll gebaut worden ist.

Mir sind Trabis sehr ans Herz gewachsen über all die Jahre, die man in ihnen verbracht hat. Und ihr heute häufig so trauriges Schicksal dauert mich. Sie sind der Grund, warum auch ich schon einmal geweint habe im Kino: Als in »Schwarze Katze, weißer Kater« von Emir Kustorica ein Trabant von einem Hausschwein zernagt wird, wollte ich am liebsten in die Handlung eingreifen und diesem verfressenen jugoslawischen Schwein einen Arschtritt geben. Es hätte seine Zähne von mir aus gerne in einen Zastava hauen können, aber bitte nicht in einen wehrlosen, papiernen 601S, der mit seinen Kulleraugen ganz scheu in eine Welt hinausschaut, die so unfassbar grausam zu ihm ist. Ich konnte der Bild-Zeitung nur beipflichten, als sie schrieb »Bitte lasst die Trabis leben«. Das war ganz kurz nach dem Mauerfall, als überall in Westdeutschland und Westberlin die Trabis gelyncht wurden, manchmal mitsamt der Leute, die bei ihrem ersten Westbesuch übermüdet und mittellos kurzerhand in ihren Autos übernachteten. Und als die Agenturen vorsichtshalber alle Kampagnen stoppten, in denen sie die Trabifahrer aus dem Sommer der Massenflucht als lustige Werbeträger verwendet hatten. Aus dem niedlichen Plasteauto war binnen weniger Wochen ein Stinktier geworden, mit dem alle Giftmüllexporte auf vier Rädern aus dem Osten zurückzukehren schienen. Geruchsempfindliche Bürgerinitiativen baten, mit dem Zweitakter nicht durch ihre gekehrten Innenstädte zu tuckern. Manchmal kamen westdeutsche Abiturienten und heuchelten Begeisterung für dieses Auto, das sie gar nicht richtig fahren konnten – mit Lenkradschaltung und Zwischengas und so. Sie wollten miese Späße damit veranstalten, mutmaßte ich, und hätte ihnen am liebsten die versteckten Benzinhähne unter dem Armaturenbrett zugedreht, damit sie schon an der nächsten Kreuzung damit liegen bleiben und von einem Opel Kadett D mit defekten Bremsen gerammt werden. Denn dieses Auto und seine massenhafte Verbreitung im Osten war nun für mich wiederum das größte Ärgernis der ganzen Wende.

Da wird eine ganze europäische Nachkriegsordnung aus den Angeln gehoben von Leuten, die »forteilen, zu den Vorteilen von Ford-Teilen«, wie es der Komponist Wolfgang Heisig einmal ausgedrückt hat, und dann kommen sie noch nicht einmal mit einem Ford zurück, sondern mit einem Opel Kadett D, einem West-Trabi, der schon seit 1984 gar nicht mehr gebaut wurde. Das muss man sich mal vorstellen: die Leute hatten gegen ein schwerst bewaffnetes Regime gewonnen, sie hätten Sekt verdient gehabt, wenn auch vielleicht erst mal nur Aldi-Sekt, und was machen sie: Sie greifen zielsicher zum abgestandensten Selterswasser, das überhaupt zu haben ist und lassen sich dabei meistens auch noch über den Tisch ziehen. *Kadett*! Was sind das für Menschen, die im Augenblick ihres größten Triumphes schon wieder von militärischer Unterordnung träumen und sich Autos zulegen, die das Kleine, Zurückgestufte und Streberhafte schon im Namen führen?

Höchstwahrscheinlich sehr erbärmliche Menschen, fand G. Und G. fand es auch unehren-, wenn nicht sogar mädchenhaft, länger als 17 Sekunden zu brauchen, um einen Opel Kadett D aufzubrechen, zu starten und genüsslich unter dem Fenster des Eigners gegen die Hauswand zu lenken. Als Strafe.

G. hatte aber auch keine Skrupel, einem Auto, das er unschön fand und dessen Insassen er als Rechtsradikale identifiziert zu haben meinte, im Vorbeifahren Leuchtspurmunition durch das geöffnete Fenster zu ballern. Für einen langen Moment sah es dann so aus, als habe jemand eine sehr helle und sehr rote Innenbeleuchtung in dem Auto angeschaltet.

G. war möglicherweise einer der Gründe, weshalb der *Spiegel* das Jahr 1992 mit einiger Berechtigung zum »Jahr des Baseballschlägers« ernannte. Aber immerhin war sein spezieller Hooliganismus von ästhetisch und politisch nachvollziehbaren Aversionen unterfüttert. Dazu gaben die neunziger Jahre dann allerdings derart viel Anlass, dass es selbst G. irgendwann zu anstrengend wurde und er sich resigniert zum friedfertigen Einwohner einer Fertighaussiedlung mit Blechbalkons verwandelte – dem Opel Kadett der Architektur, wenn man so will.

Dabei war es so, dass in dem Maße, wie das eine Problem (Rechte) aus dem Straßenbild verschwand, das andere (fragwürdige Autos) dort immer weiter ausuferte. Ich weiß nicht, ob es damit begann, dass aus Stoßstangen »kratzempfindliche Stoßfänger« wurden. Oder damit, dass Autos nicht mehr wie gefährliche und umweltverschmutzende Vehikel aussehen wollten, sondern wie liebenswerte, rundliche Kuscheltierchen, aus deren Auspuff keine Abgase kommen, sondern niedliche blaue Wölkchen, die so harmlos und hygienisch sind wie die blaue Ersatzflüssigkeit aus der Werbung für Monatsbinden.

Die Welt, das war die Botschaft dieser Autos, sollte ab jetzt zumindest friedlicher aussehen, als sie ist.

Und diese Welt ließ sich vielleicht gewinnbringender von dort aus betrachten, wo sie besser funktioniert. Deshalb verlege ich an dieser Stelle den Schauplatz nach Hamburg.

Der Osten greift nach einem, sobald man sich auf den Weg in den Westen macht, denn der ist auch nicht mehr, was er mal war und gibt einem ständig das Gefühl, man sei schuld daran.

Von Anfang an kam ich mir zum Beispiel vor wie »Rolf«. Rolf, die gelbe Plüschhand, die ihre fünf Finger ausfuhr, um damit nach der Identität der alten BRD zu grabschen. »Fünf ist Trümpf«. In jenem Sommer 1993 sollten die Postleitzahlen reformiert werden. Die beiden vierstelligen Systeme waren sich in die Quere gekommen, es gab Dopplungen. Um Fehlzustellungen zu vermeiden, musste ein O oder ein W vor die Postleitzahl gemalt werden. In den meisten ostdeutschen Gegenden ist es auch nach der Reform dabei geblieben – statt des O steht da jetzt nur eine 0 vor den dann folgenden vier Ziffern. Ganz eindeutig verloren haben durch die Reform aber jene westdeutschen Großstädte, die zusätzlich zur Postleitzahl noch nachgestellte Kennziffern hatten, die eigentlich Zustellbezirke, in Wahrheit aber soziale und kulturelle Lebenswelten markierten. Der mythische Westberliner Gegensatz von »36« und »dem anderen Kreuzberg«, nämlich »61«, würde späteren Generationen wahrscheinlich gar nicht mehr zu vermitteln sein. Mir vermittelte ihn übrigens H., die meine Fahrerin war auf dem Weg in den Westen, woher sie selber auch stammte. Ein ganzes langjährig einstudiertes Referenzsystem war plötzlich zusammengebrochen. Wohnungsanzeigen konnten nicht mehr mit den gewohnten Suchfiltern überflogen und Leute nicht mehr nach der Anschrift eingeordnet werden. Max Goldt würde später den Vorschlag machen, analog zu den Ostberliner Ostprodukteläden in Kreuzberg Geschäfte einzurichten, wo nur Lebensmittel verkauft werden, auf deren Etiketten vierstellige Postleitzahlen und der Vermerk »made in W.-Germany« stehen, um den dortigen Querulanten ihre verlorengegangene Westidentität wiederzugeben.

Mir tat das alles von vornherein schon sehr Leid.

Auch dass zum Beispiel aus H.s großer Liebe nichts wurde, war mir persönlich unangenehm. Auch da fühlte ich mich verantwortlich. Sie war an einem besonders schönen Sonnentag des vergangenen – also im Zeichen der Ereignisse von Rostock-Lichtenhagen stehenden – Sommers mit I., der aus Osnabrück stammte und den H. sehr mochte, rausgefahren an einen kleinen Waldsee in Brandenburg. Sie hatten ein Zelt mitgenommen und etwas abseits der Badestelle aufgebaut. Sie waren erst am späten Nachmittag angekommen, aber es war noch warm und hell genug gewesen, um ausgiebig schwimmen zu gehen. Und wie sie da durch das dunkle Wasser pflügten, war es ihnen vorgekommen wie ein besonders weicher und schwerer Samt. Sie hatten in die Reflexe der Sonne hineingeblinzelt, die sich kurz vor ihrem Untergehen auf der Wasseroberfläche noch einmal verausgabte. Dann hatte I. sehr lange herumgealbert wie ein kleiner Junge, was H., die nicht unbedingt einen Jungen, sondern lieber einen Mann haben und darüberhinaus auch nicht geneckt, sondern lieber geliebt oder wenigstens mal geküsst werden wollte, in eine enttäuschte und gereizte Stimmung versetzte, mit der sie sich in das Zelt zurückzog und bockig in ihren Schlafsack wickelte. Und weil I. erst mal dasselbe tat, lagen sie in ihren grauen Schlafsäcken zunächst einmal eine Weile nebeneinander wie zwei große graue Pfälzer Leberwürste. I. ließ die Sache derart langsam angehen, dass H. bereits befürchtete, sie könnte zuvor versehentlich einschlafen. Als sich aber dann, endlich, die eine Leberwurst zu der anderen hinkrümmte (und es würde später nicht mehr zu sagen sein, welche zu welcher), als jedenfalls endlich alles doch noch gut zu werden begann, da war plötzlich ein Schuss durch den Wald und mitten durch ihre aufkeimende Beziehung gekracht und hatte sie aus ihren Schlafsäcken und aus dem Zelt herausfahren und ins Gehölz rennen lassen, wo sie sich hinter Bäumen versteckten. Dummerweise hinter zwei verschiedenen, wodurch sie vor Furcht und vor Kälte nur die Rinden ihrer Kiefern umarmen konnten und nicht einander. Und es war sehr fürchterlich und sehr kalt geworden in dieser Nacht, in der ein paar Jugendliche aus dem Dorf die Idee gehabt hatten, ein Lagerfeuer am See zu machen und dabei Lieder zu singen, in denen es um hohe Fahnen, geschlossene Reihen, flutschende Messer und Judenleiber ging. Es waren nicht ausschließlich Jungs gewesen, ein Mädchen hatte die ganze Zeit geschrien und gequiekt wie ein Ferkel, das seine Schlachtung ahnt. Die wird vergewaltigt, hatte H. gedacht. Oder sie amüsiert sich nur. Oder beides. Später war noch ein Motorradfahrer gekommen, hatte mit seiner Maschine auf dem Strand eine Art Stemmbogen hingelegt und dann ein paarmal am Lenker gedreht und sein Fernlicht wie einen Suchscheinwerfer über den Waldrand streichen lassen. Über die Büsche und die Bäume, hinter denen H. und ihr Freund kauerten, die sich in diesem Moment immerhin vage ausmalen konnten, wie das war, wenn man ein paar Jahre vorher aus diesem Land hier hatte abhauen wollen und dabei in den Grenzstreifen geriet. Die ganze Nacht über hatten die Jungs immer mal wieder eine Salve aus dem Gewehr auf Gutdünken ins Gebüsch geballert, wodurch I., der bei der Bundeswehr das Erkennen von feindlichem Feuer hatte lernen müssen, auf eine AK 47 schloss.

Es hätte aus H. und I. natürlich trotzdem noch was werden

können in dieser Nacht. Oder wenigstens an diesem Morgen, als die Lagerfeuernazis gegen vier Uhr endlich müde und betrunken nach Hause gewankt waren und sich H. und I. mit ihren steif gefrorenen Gliedern wie verrostete Androiden zu ihrem Zelt zurückzuschleppen wagten. Wenn ein mutiger I. dabei die immer noch vor Angst schlotternde H. in den Arm genommen und wieder aufgebaut hätte. Leider war es genau andersherum gewesen. Und daraufhin hatten sie nie wieder gemeinsam zu übernachten versucht, und an Brandenburgischen Seen schon gar nicht.

H. war sehr enttäuscht gewesen. Sie hatte ein romantisches Erlebnis gesucht und die Wildnis. Aber so wild und in diesem erschreckend ursprünglichen Sinne romantisch hatte sie es nicht gewollt.

Sie hatte damals, gleich Ende 1990, mit Freunden ein sehr idyllisches Bauernhaus im Osten beziehen wollen. Als sie da so herumstreiften in dem fremden Land, das jetzt auch ihres war, hatten sie zuerst den Eindruck gehabt, dieses Dörfchen stamme aus einem Heimatfilm oder einer schon sehr verblassten alten Kinderbuchillustration, so wie es sich da verträumt im verschilften Feuerlöschteich spiegelte. Gerade das etwas Verwitterte hatten sie alle sehr gemocht. Die Patina, die Spuren von Leben, die H., die von diesem Leben keine Ahnung hatte, zwar nicht lesen konnte, aber immerhin als sehr dekorativ empfand. Es war ihnen, erzählte sie, irgendwie ursprünglicher, reiner und richtiger vorgekommen als die verstädterten und zersiedelten Provinzen des Westens, aus denen sie selber kamen. Aber dann hatten in den Kreisstädten die ersten Baumärkte eröffnet, und die Einheimischen schleppten genau den Krempel in das bis dahin vermeintlich unberührte Paradies hinein, dem H. und ihre Freunde eigentlich hatten entfliehen wollen. In der Dorfgaststätte schraubte der Wirt die verbommelten Kandelaber ab und montierte Halogenstrahler in die Decke, von wo das Licht nun nicht mehr warm heruntergenieselt kam, sondern dem Essen unbarmherzig grell ins Gesicht blendete, wie bei einem Verhör, wo auch die härteste Schweinebratenkruste mürbe wird. Als sie dann von den ohnehin misstrauischen Dörflern aufgefordert wurden, den verwitterten Zaun zu flicken, den Rasen zu mähen und Gebühren für den neuen Abwasserzweckverband zu zahlen, gaben sie auf. Mitte der neunziger Jahre würde Ostdeutschland erbeben vor dem Zorn hoffnungslos überschuldeter ländlicher Hausbesitzer, denen von Experten mit Mickeymauskrawatten der Bau völlig unrentabler Abwasseranlagen aufgeschwatzt worden war. Aber davon sollte H. schon nichts mehr mitbekommen. Sie hatte mit dem Osten abgeschlossen, weil der ihren Vorstellungen nicht genügte und sich nun auch noch zu einer schäbigeren Ausgabe des Westens wandelte.

Sie wollte zurück in den richtigen Westen. Und sie schien es eilig zu haben damit. Sie fluchte immer wieder über die windschiefen Betonplatten, aus denen die meisten Autobahnabschnitte damals noch bestanden. Hitler-Autobahn, schimpfte H.; aber vermutlich stammte dieser rumplige Straßenbelag in Wahrheit aus der DDR und war ein perfides Mittel, die PS-Zahlen von BMWs, wie H. einen fuhr, ins Leere laufen zu lassen. Man kann sich meine Ernüchterung vorstellen, als ich feststellte, dass auf den legendären Autobahnen Westdeutschlands die »freie Fahrt für freie Bürger« auf den allermeisten Abschnitten nur ein geschwindigkeitsbegrenzter Mythos ist. H. sah aber die ganze Feindseligkeit des Ostens ihr gegenüber in dieser desolaten Autobahn symbolisiert. Immerhin gab sie zu, die ostdeutschen Alleen sehr gemocht zu haben. Diese Dächer über den Straßen, die irrlichternden Momente, wenn draußen auf dem Feld noch die Abendsonne hing und drinnen auf der Straße schon Nacht war. So was gab es ja leider im Westen gar nicht mehr, da war der ADAC vor. Dafür, fuhr sie fort, stehen dort dann aber auch nicht an jedem zweiten Baum Holzkreuze für »Danilo« oder »Doreen«. Keine Namen, mit denen es sich vernünftig groß, geschweige denn in Würde alt werden ließe. Man könne schließlich schlecht mit fünfzig noch Doreen oder Mandy heißen, da nehme einen doch kein Mensch ernst. »Alles Namen, die nach frühem Holzkreuz schreien«, seufzte H. Sollen erst mal die vielen Benjamins aus dem Westen versuchen, groß und erwachsen zu werden, schlug ich vor. »Alleebäume und Dorfnazis«, seufzte hingegen abermals sie, und es klang, als fasste sie damit ihre Erfahrungen im Osten zusammen. Da kommt doch zusammen, was zusammengehört, sagte ich, um auch die Holzkreuze noch unterzubringen und H. ein bisschen aufzumuntern.

Sie war auf dem Weg in ihr Dörfchen oft in anstrengende Wettfahrten verwickelt worden von den Jungs, die mit ihren lächerlichen Golfs an den Tankstellen herumlungerten und die alles daran setzten, sie, die Auswärtige, in den Straßengraben zu jagen. Tankstellennazis nannte sie die.

Und das störte mich. Es reicht völlig, finde ich, wenn ich hier seitenlang überall nur Nazis sehe. Bei Auswärtigen geht mir das zu weit.

Man könne doch nicht alle Leute gleich pauschal als Nazis abqualifizieren, schimpfte ich. Die Leute in Brandenburg seien eben manchmal so, nicht spezifisch ausländerfeindlich, sondern irgendwie allgemein feindlich. Da müsse man gar nicht aus Polen oder aus dem Westen kommen, um Ärger zu kriegen, das treffe Sachsen ganz genauso. Alles nördlich von Berlin Fischköppe, alles rund um Berlin Preußen, alles südlich davon Sachsen, und alle drei hauten sich ständig gegenseitig aufs Maul, so übersichtlich sei das zugegangen in der DDR. Alles gar nicht böse gemeint. Sondern mehr so: traditionell.

Vermutlich hörte ich mich an wie der Bürgermeister eines Städtchens, dem sie gerade das Asylbewerberheim angezündet hatten: Dummejungenstreiche, wer da verfestigten Rechtsradikalismus reininterpretiert, ist böswillig und gefährdet den Standort.

H. drehte das Radio auf, um mir das Wort abzuschneiden. Das Armaturenbrett des BMWs bog sich um sie herum wie eine Pilotenkanzel. Dem Beifahrer sagt diese gebogene Kanzel, dass er in dem abgezirkelten Bereich keinerlei Zugriffsrechte hat. Trotzdem erlaubte ich mir, den Deutschlandfunk einzustellen. *Mein* Westmedium. Kein Frühstück ohne die Telefoninterviews mit Politikern, von denen ich annahm, dass sie noch im Schlafanzug steckten, während ihre Sätze schon Schlips und Kragen trugen. Es gab ja in Dresden, im Tal der Ahnungslosen, nicht nur kein Westfernsehen, sondern auch kaum Westradio. Nur den Deutschlandfunk aus Köln. Hier trug der Westen Hornbrille. Kein Sex, kein Glamour, keine Werbung, nur strenge Sachbezogenheit. Und vielleicht lag es nur an diesem Sender, an seinen vielen Berichten über die DDR für Hörer in der DDR, dass man überhaupt auf die Idee verfallen konnte, im Westen nähmen die Leute pausenlos Anteil an den Problemen im Osten. Ein Trugschluss, wie sich allmählich immer deutlicher herausstellte. In diesem Moment war zum Beispiel von Bischofferode die Rede. Einem Nest in Thüringen, wo ein Kalibergwerk mit dem Konkurrenten aus dem Westen zusammengelegt, also geschlossen werden sollte. Nichts Ungewöhnliches so weit. Ungewöhnlich war nur, dass die Leute dort Ärger machten, das Bergwerk besetzten, mit Hungerstreik drohten. Zehntausende Menschen protestierten. Die Puhdys würden anrücken und für die ausgemergelten Kumpel spielen, denen das am Ende aber trotzdem nichts nützen sollte.

H. war diese Aufwallung von Verzweiflung zu pathetisch, sie fühlte sich unangenehm berührt und drehte das Radio weiter, in den dreistelligen Frequenzbereich hinein, in den Mülleimer des Äthers, in die aufgeschlämmten Tonsümpfe des Privatfunks. Als ein Comedy-Duo alberne Witze über doofe Wessis machte, schaltete H. das Radio aus. Ab Wittstock schwiegen wir verbittert. Irgendwann tauchte in der ansonsten nicht sehr abwechslungsreichen Landschaft ein Plattenbau auf, der groß und verloren am Wegesrand lag und an einen ausgesetzten Bernhardiner denken ließ. Danach schien mir die Landschaft noch ein bisschen eintöniger als zuvor.

»Die Grenze?«, fragte ich.

»Die Grenze!«, sagte die Frau am Steuer in einem Ton, der sowohl erleichtert als auch gehässig klang.

Hallo Hamburg

Was wusste ich von Hamburg? Ein Name wie ein Hammer. Wie ein harter metallischer Schlag. Wie ein Grund, mit dem Sächseln aufzuhören, sonst kommt Homburg raus. Es darf aber nicht dumpf und verschlossen klingen, sondern hell, hart und offen. Hamburg. Der Sehnsuchtshafen, auf den alles hinausläuft, oder jedenfalls die Elbe, auf der man von Dresden aus die tschechischen Lastkähne davonfahren sehen konnte, denen man von den Brücken runter eine Ladung Spucke mitgab, nicht aus Böswilligkeit, sondern weil die Spucke das Einzige von einem war, was die Grenze passieren durfte. Ein Riesenhafen also, der sogar Tschechen und meiner Spucke einen Zugang zum Meer bot. Ernst-Thälmann-Typen mit Prinz-Heinrich-Mützen und schwieligen Pranken. Knallharte Rocker. Plattenbosse. Trinkfeste Rechercheure. Soziale Extreme, die sich nach S-Fehlern unterscheiden: die Arbeiterklasse lispelt und die oberen Zehntausend s-tolpern über S-teine. Eine gigantische Großstadt voller Sex, möglicherweise auch Drugs und auf jeden Fall aber Rock'n'Roll, die auch noch am richtigen Fluss lag. Hamburg klang wie ein Grund, sich darauf zu freuen.

Leider war Hamburg für mich dann erst einmal Harburg. Ganz am Anfang war Hamburg sogar nur eine Bushaltestelle auf einem Acker. »Hier, Hamburg«, hatte meine Fahrerin gesagt, und nach den Allgemeinen Geschäftsbedingungen der Mitfahrzentrale stimmte das auch. Ich stand ungern mit meinen Taschen auf einem Acker vor der Stadt. Später brachte mich ein Bus zur U-Bahn und die U-Bahn zur S-Bahn.

In der S-Bahn saßen erstaunlich viele Männer mit Dosenbier in der Hand, keine Assis, sondern Männer in ehrbarer Berufskleidung. Neben mir saß sogar einer im Anzug, es war ein Dreiteiler aus glänzendem Stoff. Der Mann war jung und glich denen, die man heute oft in Smarts sitzen sieht, wo sie in die Headsets von Mobiltelefonen hineinlachen, junge Männer, die man im Allgemeinen lieber hinter einem Bankschalter sieht als in seinem Bekanntenkreis.

Wer als Mann in Hamburg eine S-Bahn besteigt, reißt sich jedenfalls erst mal eine Dose Bier auf, sonst ist er gar nicht richtig da. In der Regel Holsten. Der neben mir hatte sogar eine Dose Faxe. Das ist zwar dänisches Bier, dafür aber gleich zwei Liter. Woanders trinken die Menschen während der Arbeit. Und dann abends wieder, zu Hause oder in der Kneipe. In Hamburg, und soweit ich weiß, nur in Hamburg, tun sie es genau dazwischen.

Es wurde eine lange Fahrt, sie hätte für ein ernsthaftes Besäufnis getaugt. Immerhin fuhr die Bahn die meiste Zeit oberirdisch. Das Panorama von Hafen und Stadt wurde im Vorbeifahren von den brachial genieteten Streben der Stahlbrücken rhythmisch zerhäckselt. Man sah die Kräne, Türme und Hochhäuser wie in einem Film durcheinander rasen. Wie in einem ganz großen, schwelgerischen Actionfilm. Atemlose Dramen spielten sich da an den unübersichtlichen Wassern der Elbe ab. Aus Dresden kannte ich sie als Canal Grande, als ein Fluss gewordenes Menuett, das kokett an Lustschlösschen vorbeitänzelt. Hier in Hamburg war die Elbe wie Heavy Metal. Und kurz darauf kamen mir ihre träge in die zerfurchte Landschaft hineinfingernden Arme immer mehr wie das Mississippi-Delta vor. Und die S-Bahn wie ein Vorortzug voller ausgebeuteter schwarzer Farmarbeiter. Wenn jemand Musik gemacht hätte, wäre hier nur Blues in Frage gekommen. Die ganz sumpfigen, schleppenden Klänge von Muddy Waters.

Der Biertrinker neben mir döste weg und legte seinen Kopf

sanft auf meiner Schulter ab. Aus seinem offenen Mund hing ein Speichelfaden, der sich langsam in Richtung meiner Jacke zog. Kurz bevor sich der Faden löste und zum Tropfen wurde, schüttelte ich den Kopf sacht von meiner Schulter, der Biertrinker lehnte sich zur anderen Seite und rülpste diskret. Von gegenüber nickte mir eine verschleierte Frau zu, die sehr dankbar schien, dass ich kein Fass aufgemacht hatte wegen dieser Sache, denn wir waren ja alle sehr müde in dem Zug, und was wirklich niemand brauchte, war Radau. Die S-Bahn nach Harburg, das sind Schlafwagen, bevölkert von überarbeiteten Ausländern, die erschöpft die Henkel ihrer Taschen zerkneten und mit leeren Augen die Werbung anstarren, die auf den Fensterscheiben und in der runden Ecke zwischen Wand und Decke klebt und zu Ausflügen in den Tierpark oder auf den Rummel einlädt, der in Hamburg Dom heißt.

Sie machten alle nicht den Eindruck, als seien sie zum Vergnügen hier oder als sei Hamburg für sie das Tor zur Welt. Vielleicht hatten sie einmal gedacht, Hamburg sei wenigstens ein Tor zum Geld. Und vielleicht hatten sie schon viel eher als ich begriffen, warum auf dem Wappen von Hamburg das Tor so fest verschlossen ist.

Harburg liegt schon etwas außerhalb, auf der anderen Seite des Flusses, vor den Toren der eigentlichen Stadt. Die S-Bahn nähert sich dem Stadtteil am Ende dann doch lieber unterirdisch, und das hat vielleicht die gleichen guten Gründe, aus denen Harburg auch nicht auf dem Stadtplan zu finden ist, sondern verschämt in dessen Apokryphen versteckt wird.

Weil es nahe liegt zu sagen: Selber schuld, warum zieht der Idiot auch nach Harburg? – hierzu nur so viel: Ich hatte in Dresden am Bahnhof ein »Hamburger Abendblatt« gekauft und im Immobilienteil nach einem Zimmer gesucht, aber ausschließlich Angebote gefunden, die mir nicht direkt seriös vorkamen. Die angebotenen Zimmer kosteten so viel wie in normalen Gegenden, also zum Beispiel Dresden, ganze Straßenzüge. Ich hatte bei der ersten Nummer angerufen, zu der ein Preis diesseits meiner finanziellen Vorstellungen gehörte. 350 Mark. Dafür hätte ich zwar mit einer sehr großzügigen stuckverzierten Wohnung gerechnet, da wo ich herkam, hatten viereinhalb Zimmer mit Terrasse und Elbblick halb so viel gekostet, in Ost versteht sich. Aber ich dachte: gut, ist Westen, ist teuer. Der Mann am Telefon hatte sich so weit ganz nett angehört. Er fand das toll, dass ich aus Dresden war, und das fand ich toll, und deswegen hatte ich, erstmal, zugesagt. Ich wusste nicht, dass es Harburg ist, ich wusste nicht, dass Harburg nicht ganz dasselbe ist wie Hamburg, und noch weniger wusste ich bis zu diesem Moment, was Harburg überhaupt ist – was für eine Ernüchterung. Die Station, an der ich das Licht meiner neuen Heimat erblickte, hieß »Harburg Rathaus«, und als ich die Treppe hochkam, dachte ich für einen sehr langen Augenblick, ich sei in Halle Neustadt.

Ein urzeitliches Meer hatte hier nach dem Abfließen eine fahle Wüste aus Muschelkalkzement hinterlassen. »Sand« hieß der Platz, das war zutreffend. »Glückspilz« stand über einem Ladeneingang, und das war zynisch. Wenn überhaupt etwas erfreulich war, dann allein die mutige Konsequenz der Tristesse: In Halle Neustadt hatten sie dort, wo sie die großspurigen Zukunftsversprechen zu einer etwas sehr großporigen Gegenwart zurechtbetoniert hatten, wenigstens mit lebensbejahenden Wandmalereien für gute Laune und Optimismus zu sorgen versucht. Der »Sand« in Harburg war dagegen von einem eher westlichen Marxismus geprägt und verkniff sich jedes trügerische Glücksversprechen. Hier musste sich von vornherein niemand irgendwelche Hoffnungen machen, dass die Lage besser wird, bevor das nicht alles zusammengekracht ist. Es gab zwar auch hier ein Denkmal, aber selbst das war in verblüffendem Maße unfroh und selbstkritisch. Eine Stele, auf der sich die Harburger mit ihren Namen verewigen sollten, und dann wurde die Stele Stück für Stück mitsamt den Namen im Fundament versenkt. Von der Stele war damals schon nur noch wenig zu sehen gewesen, und seitdem am 10. November 1993 die letzte Absenkung stattgefunden hat, ist gar nichts mehr davon übrig. Heute werden an der Stelle gern Tauben gefüttert. Es ist womöglich erwähnenswert, dass dieses Denkmal ein antifaschistisches war. Mit den Absenkungen sollte die deutsche Schuld dem Erdboden gleichgemacht werden oder so ähnlich. Es schien mir nicht besonders einleuchtend. Aber mir erschien an diesem Tag (und vielen folgenden) der ganze Hamburger Antifaschismus ohnehin nicht besonders einleuchtend. Ich hatte zuvor bereits in der U-Bahn zwei älteren Damen zuhören müssen, die durch das Tragen kurzhaariger Frisuren und karierter Hosen Progressivität und SPD-Nähe signalisierten und über »Lichterketten« sprachen. Ich dachte zuerst, es ginge um Weihnachtsbeleuchtung. Dass die Hamburger Lichterketten ganz eindeutig länger gewesen sei als die von München, hatten sich die beiden Damen gegenseitig mit großem Stolz versichert, das Radio habe das ganz genau bestätigt. Dann hatten sie mich unwillig angesehen, weil ich natürlich hatte lachen müssen.

»Entschuldigung«, hätte ich am liebsten gesagt, »Entschuldigung, es ist nun einmal überraschend und erheiternd, wenn sich zwei ältere Damen so benehmen wie pubertierende Jungs, die unter der Dusche ihre Gemächte vergleichen.«

»Lichterketten sind ein wichtiges Zeichen gegen rechte Gewalt«, hätten die Damen dann vielleicht geantwortet. »Wenn überall, und vor allem da, wo Sie dem Dialekt nach herkommen, junger Mann, die Asylbewerberheime brennen, ist billiger Spott über die Symbole der Friedfertigen nicht nur billig, sondern zynisch.«

»Fight Fire with Fire?«, hätte man sie fragen können.

»Es geht darum, Gesicht zu zeigen«, wäre die Antwort gewesen.

»Wem denn?«

»Uns.«

Aber solche Unterhaltungen kann man sich auch sparen. Ich konnte mir zwar nicht vorstellen, dass es die Anzünder von Asylbewerberheimen im erforderlichen Maße erschreckt, wenn sich weit weg irgendwelche Leute wie zu Halloween Kerzen vor das Gesicht halten, aber warum soll man alten Damen ihren Spaß nehmen? Den speziellen Antifaschismus der Stadt würde ich vielleicht später mal begreifen, machte ich mir Mut, und um mich trotzdem ein wenig einheimischer zu fühlen, kaufte ich mir vorsichtshalber erst einmal fünf Dosen Bier für die weitere Benutzung des öffentlichen Nahverkehrs.

Während ich auf den Bus wartete, lernte ich aus dem gegenüberliegenden sehr neuen Gebäude alles, was man für die neunziger Jahre über Hamburger Architektur wissen muss: Es bestand zu acht Teilen aus blaurotem Backstein (➤ Tradition, Verlässlichkeit, Büros), aus einem gebogenen Segment Glas und Stahl (➤ Transparenz, Modernität, Treppenhaus) und einer Reihe Bullaugen (➤ maritime Note, »Pfiff«, wahrscheinlich die Klos). Es handelte sich nicht, wie man vielleicht denken würde, um das der Haltestelle ihren Namen gebende Rathaus von Harburg, sondern um etwas noch viel Wichtigeres: das Arbeitsamt.

An dem anderen wichtigen Gebäude Harburgs (dass auch der Wohnort von Mohammed Atta einmal wichtig werden würde, war damals ja noch nicht zu ahnen) fuhr mich dann der Bus vorbei: Es war die Universität, ein metallischer Bau, der nach dem Zusammenschrauben offensichtlich zu hart auf die Erde aufgeschlagen war und jetzt in einem seltsamen Krater herumlag, aus dem, so stellte ich mir das jedenfalls vor, an Werktagen jede Menge schöner, wissbegieriger Studentinnen herausgekrabbelt kommen. Und das gleich bei mir um die Ecke.

Es stellte sich dann heraus, dass sogar die Vorstellung von weniger schönen und weniger wissbegierigen Studentinnen meine neue Adresse noch enorm aufgewertet hätte. Denn als der Vermieter des Zimmers die Wohnungstür öffnete, so weit die Sicherungskette das erlaubte, schlug mir ein unfassbar modriger Altmännergeruch entgegen. Der Mann wirkte sehr ängstlich. Er wirkte überhaupt genau so, wie er am Telefon geklungen hatte, nämlich dünnhäutig, seine Haut glich einem sehr alten zerknüllten Pergament. Er hatte mich schon bei unserem ersten Gespräch gleich auf meinen Dialekt angesprochen und dann gesagt, da seien wir ja gewissermaßen Landsleute, und das sei zwar sonst undenkbar, sein Zimmer so am Telefon an jemand Wildfremden, den er noch nie gesehen hat …, aber ein Landsmann, das sei ja andererseits kein Wildfremder, und da wolle er mal eine Ausnahme machen.

Auch als er mich hereingebeten hatte in seine klägliche, überheizte Wohnung, und man muss leider auch sagen, in seinen Dunstkreis, kam er sofort auf Dresden zu sprechen. Ob es denn da immer noch so schön sei und wie die Menschen das alles da verkraftet hätten. Ich murmelte Einsilbiges und kam mir dabei selber unhöflich vor. Es war mir nur wichtig, so wenig Atem wie möglich zu verbrauchen, denn es roch wirklich sehr bedrückend in dieser Wohnung. Seit der Zeit, als er, wie er es nannte, »rübergemacht« hatte, noch rechtzeitig vor dem Mauerbau, hatte er offensichtlich die Fenster strikt verschlossen gehalten und die Zimmer mit seiner selbstmitleidigen Aura ausgefüllt.

»Das ist eine barbarische Stadt da draußen, mein Lieber«, verkündete er und legte seine weiche Hand auf meinen Unterarm, seine buschigen Augenbrauen nahmen die Form von Gewitterwolken an, und sein milchiger Blick bekam etwas Fanatisches: »Voller Falschheit, Kälte und Häme.« Er meckerte die Worte mehr, als dass er sie sprach, er war ein alter, pathetischer Ziegenbock. »Seien Sie auf der Hut, Sie sind das nicht gewohnt, mein Lieber, wenn Sie so frisch aus der Stadt der Künste kommen, das hier ist eine Stadt von kalten Krämern, das ist schwer zu verkraften.«

Dann klarten seine Augenbrauen wieder auf, die Augen verschwanden wieder hinter ihrer Nebelwand, und er kramte ein Fotoalbum hervor.

»Hier, das ist Ihr Vorgänger, der hat zuletzt hier gewohnt; ein sehr, sehr kluger und sensibler Junge.«

Aus dem Foto blickte ein verschrecktes Bürschchen in Strumpfhosen mit einem Totenschädel unterm Arm.

»Da habe ich mit ihm den Hamlet eingeübt«, sagte der alte Mann versonnen, »er war ein sehr talentierter Junge, übrigens auch aus dem Osten, aber das Theater war dennoch nicht seins, er hat Physik studiert hier an der Technischen Universität, sie haben das Gebäude auf dem Weg sicher gesehen, jetzt hat er ein Stipendium für Amerika bekommen.«

Das mit den Studentinnen konnte ich mir augenblicklich wieder aus dem Kopf schlagen. *Technische* Universität. Jungs in Holzfällerhemden, die Irish Pubs gut finden. Mich fröstelte.

»Ich habe es geliebt, das Theater. Aber zum Hamlet hat es leider nie gereicht«, redete der Mann weiter, »und jetzt reicht meine Rente nicht, ich muss untervermieten. Nur einen Vertrag kann ich Ihnen leider nicht geben, dann streichen sie mir das Wohngeld. Wenn wir uns gut verstehen, könnten wir auch Theater spielen, mein Lieber, lieben Sie das Theater?«

Ich murmelte etwas Undeutliches. Warum, fragte ich mich dabei, warum träumen eigentlich immer genau diejenigen Leute davon, einen Vollidioten zu spielen, die es selber schon sind.

Ich sei nach der langen Fahrt sehr müde, erklärte ich dann, und war heilfroh, Sächsisch sprechen zu dürfen, weil man das mit minimal geöffnetem Mund und ganz wenig Atemluft erledigen kann.

In dem Zimmer, das nun für 350 Mark im Monat meins war, standen eine Schlafcouch, ein Glastisch, zwei Sessel und eine Schrankwand mit Kristallgläsern. Sobald ich allein war, riß ich die doppelten Gardinen zur Seite – die »Schtores«, wie mein Vermieter glücklich war, mal wieder auf Sächsisch sagen zu dürfen –, und dann riss ich, endlich, auch das Fenster auf. Man konnte so viel von der kalten Nachtluft durch die Nüstern ziehen, wie man wollte, der deprimierende Geruch war hartnäckiger. Der Geruch des Scheiterns, dieser Gestank von Selbstaufgabe, von Bitterkeit, von jämmerlicher Angst und von Einsamkeit stand wie ein Block in dieser Wohnung und würde bis an das Lebensende seines Ausdünsters nicht entweichen. Vielleicht würde er noch da sein, wenn sie das Haus, was aus Gründen der Ästhetik ohnehin zu raten war, eines Tages in die Luft jagten. Zu einem Block in den Formen dieser Wohnung geronnen würde er drei Stockwerke in die Tiefe donnern, einen Krater reißen und langsam darin versacken – wie das antifaschistische Denkmal am »Sand« und wie die Universität um die Ecke: als drittes großes Harburger Mahnmal für untergegangenes Leben.

Was man in der ersten Nacht in einem neuen Bett träumt, geht in Erfüllung, heißt es. Ich beschloss, vorsichtshalber nichts zu träumen, trank zur Sicherheit meine Bierdosen aus und rülpste beleidigt »Hallo Hamburg«, mit sehr kurzem A, fast schon mit O.

<hr />

Irgendwann hatte J., sie war schon ein bisschen älter als wir und machte eine Lehre zur Hotelfachfrau, irgendwann also hatte J. festgestellt, dass sie den Westdeutschen liebt. Erst war es nur so eine Idee gewesen. Sie das Mädchen an der Rezeption. Er mit seiner Jugendreisegruppe. Die bunten Klamotten, die teuren Schuhe, der Popperscheitel. Das ganz große Theater. Selbst wenn sie gewollt hätte, sie hätte gar nicht anders gekonnt, als grau und still und lächelnd hinter ihrem Tresen zu verharren. Sie war es gewohnt, sie wusste, dass man bei Shows nicht einfach auf die Bühne springen kann, um sich den Sänger zu greifen. Sie wusste, dass für so was der Backstagebereich da ist, in ihrem Fall der Weg hinter zu den Toiletten, wo sie die ersten paar Worte tauschten. Dann draußen kurz auf eine Zigarette hinterm Haus, immer überwacht von ihrer misstrauischen Kollegin. Wenn sie jemand erwischt hätte, wäre die Hölle los gewesen. Sie musste förmlich tun. Ihn anscheißen, auch wenn sie eigentlich was Nettes sagen wollte. Er fand das aufregend und anders und toll. Und sie fand ihn aufregend und geheimnisvoll und ebenfalls ganz anders als ihre Jungs, von denen sie manchmal den Eindruck hatte, sie würden sich allmählich von menschlichen Wesen in rußige Zündkerzen verwandeln und eines Tages selbst in ihre Motorräder einbauen, an denen sie zu J.s Verwunderung offenbar viel lieber herumspielten als beispielsweise an ihr oder wenigstens an sich selber. Der Westdeutsche hingegen kam ihr vor wie ein Stück Seife, vom Geruch her jedenfalls.

Zwei Wochen später kam er alleine wieder, ohne seine Reisegruppe. Dann die Treffen in Ungarn, dem Plattensee und in Budapest. Später, als sie sich Ungarn nicht mehr leisten konnte: Prag. In der Zwischenzeit die bangen Gänge zum Briefkasten, fast jede Woche ein dicker Brief mit kleiner Marke und einem kaum sichtbaren orangefarbenen Stempel mit Strichcode, von dem sie sich immer fragte, was er bedeutete, und ob die zuständige Behörde auf diese Weise zu erkennen gab, an welchen Korrespondenzen und Amouren sie Anteil nahm. Irgendwann hatte sie dann festgestellt, dass sie ihn wirklich liebte. Und er musste ja auch einen Grund gehabt haben für die Strapazen, wo ihm ja der weitaus größere Teil der Welt offen stand. Von dieser Welt hatte er ihr immer etwas mitgebracht, einen Hauch, eine Ahnung, einen Geruch. Wenn sie ihn auszog, hatte sie häufig das Gefühl gehabt, vor einem besonders großen Westpaket zu sitzen, weil es auch hier mehr um die Verpackung, den Duft und die Verheißung ging als um das, was letztlich drin war. Als ihr das große Versprechen der weiten Welt, das sie in ihm verkörpert sah, und die kleinen, hastigen Erfüllungen, die sie in ihrem Schlafzimmer erlebte, nicht mehr reichten, als sie außerdem genug hatte von den Interimsgespielen, auf die sie nicht verzichten wollte, die aber mit den Jahren immer fordernder und lästiger geworden waren – da hatte sie den Ausreiseantrag gestellt. Er hatte sie, irgendwo im Rheinland, vom Bahnhof abgeholt, und sie waren mit ihrem kleinen Gepäck in sein Viertel gelaufen und dabei immer schweigsamer geworden. Sie hatte zum ersten Mal in ihrem Leben wirklich gewusst, was es heißt, wenn von leer gefegten Straßen die Rede ist. Sie waren an Häusern vorbeigekommen, die allesamt sehr groß und schön und vor allem weiß waren, Häuser, die sich in ihrem Weißsein gegenseitig überboten. Sie war immer einsilbiger geworden und hatte nur noch geschaut und geschwiegen. Vor einem besonders großen weißen Haus, über dessen Tür die Fahne einer Studentenverbindung hing, hatte ein Mann gestanden, der eine weiße Mauer noch einmal weiß strich. Da hatte er gesagt: »Tja, so sieht das hier aus.« Um das verdammte Schweigen zu brechen und weil er merkte, dass etwas nicht stimmte, dass etwas ganz Entscheidendes plötzlich nicht mehr stimmte, hatte er gesagt, so sei das hier, und als er dabei in ihr Gesicht sah, hatte er Angst, sie würde jeden Moment anfangen zu kotzen. Aber sie hatte nur dagestanden und ihn angesehen, nasse Augen bekommen, traurig den Kopf geschüttelt, ihren kleinen Koffer aus seiner Hand in die ihre genommen, kehrtgemacht und am Bahnhof den nächsten Zug nach Berlin bestiegen.

Ich hatte erst befürchtet, sie könnte gleich ganz zurückkommen in die DDR. Zum Glück fuhr sie aber nur bis Westberlin. Denn dort sieht es, wie verschiedentlich nach dem Mauerfall zu hören war, »auch nicht viel anders aus als bei uns«. Und das war meiner und J.s Meinung nach auch unbedingt zu begrüßen.

Westdeutschland, das kann ich bis heute nachvollziehen, kam ihr vor wie die Modelleisenbahnplatte von Helmut Kohl.

Jedes einzelne Haus wirkte ein bisschen unecht und wie ein viel zu sauberes Miniaturmodell von sich selber.

Westberlin ging. Aber für J. ging es leider nur bis zu dem Tag, an dem sie in ihrer Kreuzberger Sparkasse in der langen Schalterschlange den Mann wiedererkannte, der ihr damals im Rat des Stadtbezirkes Dresden-Ost gesagt hatte, sie solle jetzt endlich mal ihren dummen Ausreiseantrag zurückziehen, sie, also die Behörden, könnten sonst nämlich auch noch ganz anders. Sie hatte an diesem entscheidenden Tag mit ihrem Laufzettel innerhalb kürzester Fristen zu den entlegensten Ämtern der Stadt gemusst. Sie hatte lange vorher eines der raren Taxis bestellt, um das zu schaffen, um nicht irgendwo zu spät zu kommen, um den Zettel abzuarbeiten, bevor sich die Tür für sie wieder schloss. Der Taxifahrer hatte sich still angehört, wo es überall hingehen sollte, und dann gesagt, er wisse, was hinter der Route stecke, und er könne das leider nicht machen, er sei Kommunist. Sie hatte sich dann mit Bussen und Bahnen und ihren eigenen Füßen behelfen müssen. Und sie hatte den Mann vom Amt zuerst erschlagen wollen, als er in ihr verschwitztes, abgekämpftes und fassungsloses Gesicht hinein sagte, sie solle ihren Antrag mal lieber zurückziehen. Sie hatte ihn nicht erschlagen. Er holte vergnügt sein Begrüßungsgeld in Westberlin ab, und J. ging ihre Koffer packen und zog, als ob das etwas ändern würde, sofort von Berlin nach Hamburg – was sie mir jetzt zeigte.

Erstaunlicherweise musste ich sie an ihre eigene Geschichte erinnern, als wir im Zuge meiner ersten Stadtbesichtigung in die so genannten besseren Viertel Hamburgs geraten waren. Auf einmal meinte sie nämlich, mich mit den weißen Villen, vor denen sie selber zuerst davongelaufen war, blenden zu müssen. Das sei doch hier endlich mal was anderes als dieser Scheißosten, der überall genauso graubraun vor sich hin stinke wie die parteiabzeichenbesetzten Jackets gewisser Stadtbezirksstasischweine, sagte J.

Ich habe solche Reaktionen von Abgehauenen öfters erlebt. Manche meldeten sich zwei Wochen nach der Ausreise in schwerstem Bayerisch oder Schwäbisch am Telefon und fragten, ob wir genug zu essen haben. Daran merkte man immer, wie verstört und vor den Kopf geschlagen die in ihrer neuen Umgebung herumtaumelten. Das Einzige, was in solchen Fällen hilft, ist: sich mit beiden Beinen möglichst heftig von der Vergangenheit wegzustoßen.

Deshalb fand ich das Konzept der klinisch weißen Villa eigentlich gar nicht so schlecht. Ich kam mir ja selber vor wie die DDR: patiniert, grau verputzt, abblätternd. Und ich hätte mir auch am liebsten so einen Eimer Hamburger Außenwand-Weiß über den Kopf gekippt und dann dagestanden wie ein unschuldiger Neubau.

Aber ich fand trotzdem, dass es schon sehr, sehr krank aussah, was die hier gemacht hatten. Ich fand sogar, dass es absolut krank *war*, ein eigentlich ganz schönes altes Haus mit Absicht so aussehen zu lassen, als habe man es in Wahrheit einem amerikanischen Konditor abgekauft. Etliche Häuser entlang der Elbchaussee und der angrenzenden Straßen wirkten auf den ersten Blick zwar erfreulich naturbelassen, auf den zweiten Blick allerdings wie Haus gewordene Terracotta-Töpfe aus dem Baumarkt. Ich sah da Frauen in Steghosen und wattierten Jacken, die sich in den Vorgärten von Häusern, die sie sich im Manufaktum-Katalog bestellt zu haben schienen, mit dünnen, verbitterten Lippen und einer Nagelschere über den Rasen hermachten, als ob sie ihn bestrafen wollten.

Das kleinstädtische Westdeutschland hat in den fünfziger Jahren, wie der Schriftsteller Michael Winter einmal dargelegt hat, oft und gern Kacheln auf die Nazivergangenheit geklebt – was auch erklärt, dass so viele Häuser dort aussehen wie nach außen gekrempelte Badezimmer. In den besseren Vierteln von Hamburg ging diese hysterische Hygiene-Hypertrophie noch weit darüber hinaus. Diese Villen waren für mich in diesem

Moment der ersten Verstörung nichts weniger als die architektonische Umsetzung der White Power Bewegung.

J. fand das übertrieben. Vielleicht sei Hamburg ein bisschen sehr aufgeräumt und sauber. Aber vielleicht seien vergleichbare Viertel von Dresden auch ein bisschen sehr unaufgeräumt und unsauber gewesen, gab sie zu bedenken.

Da waren sie wieder: die verwunschenen Villen von Dresden. Ich hatte eigentlich ausdrücklich nicht mehr daran denken wollen, weil man dann nur sentimental wird. Denn dort standen die Häuser jedenfalls nicht weiß geschminkt wie anämische Nutten in den Straßen, sondern wie in Würde gealterte Damen, die eine Menge zu erzählen haben. Manche sind auch sehr gebrechlich gewesen, man hätte sie ein bisschen pflegen müssen, aber jetzt schienen mir ihre Tage endgültig gezählt. Die bukolischen Abende im hohen, nur gelegentlich mal von einer Sense bearbeiteten Gras im bis zur Elbe reichenden Garten des verfallenden Schlösschens, das eine Freundin, ihre Familie sowie ein austreibender Birkenstamm bewohnten – er stützte im Treppenhaus die Decke ab –, die konnte man allmählich als unwiederbringlich betrachten; die Zukunft würde weiß aussehen, ohne Birke im Treppenhaus und ohne die Freundin und ihre Familie, dafür aber mit Parkplätzen aus Formsteinen, da, wo einmal das Gras wuchs. Der große, weite Atem von residenzstädtischer Bürgerlichkeit, der sich erstaunlicherweise trotz Nazis und Sozialismus in den Häusern und Gärten von Blasewitz, Striesen oder Loschwitz erhalten hatte, würde auch dort dem flachen Gehechel der Topsanierungen, des Plastestucks und der verkrampften Retrobürgerlichkeit weichen müssen. Auch dort würden dann die Dinge aussehen, als hätten sie sich als sich selber verkleidet.

J. sagte dazu nur kalt, ich könne ja umkehren oder nach Ostberlin ziehen, die vielen grauen Mauern dort anhimmeln und mit den anderen Ruinenromantikern sowie der PDS darauf warten, dass alles zusammenkracht.

Warum, fragte ich mich und J. damals, und weil auch J. keine Antwort darauf hatte, frage ich mich das bis heute: Warum haben die im Westen eigentlich so eine panische Angst vor grauem Putz? Fast alle Westdeutschen, mit denen ich in meinem Leben gesprochen habe, fanden und finden den Osten grau. Und zwar nicht nur metaphorisch, sondern tatsächlich. Dabei ist dieser graue Putz ja keine Erfindung der DDR, er hat sich dort nur länger gehalten, er ist die gemeinsame Vergangenheit. Aber aus der an unangenehmen Erinnerungen ja nun nicht eben armen gemeinsamen Vergangenheit der Deutschen ist der graue Putz offenbar das Einzige, was den Leuten bis heute *wirklich* unangenehm ist, warum auch immer. Schleierhaft ist mir bis heute auch, weshalb Leute, die viel Geld ausgeben, um die Altstadt von Neapel, die Gassen von Genua, das Barrio Gótico von Barcelona anzuseufzen, weshalb dieselben Menschen in Deutschland so sehr auf aseptischen und sterilen Verhältnissen bestehen. Und ob das Graue, Abblätternde, Patinierte vielleicht schon eine Kategorie des berüchtigten »Anderen« ist, zum Mezzogiorno gehört und zum romantischen Katalog der Exotismen, die man nur in der Fremde gut findet und sich zu Hause lieber vom Leib hält.

In ästhetischer Hinsicht ist die deutsche Einheit für mich abgelaufen wie ein Horrorfilm, in dem Millionen von unkontrollierbaren Killerpinseln mit weißer oder gelber Farbe alles Leben zuschmieren, und wer einmal zugeschmiert ist, wird selber zum Zombie und nimmt auch einen Pinsel und macht mit. Und dann schreie ich vor Entsetzen, aber leider wache ich nie auf.

So viel Geschichte, wie in den letzten dreizehn Jahren unter dicken Farbschichten verschwunden ist, ist vermutlich noch nie so unbehelligt entsorgt worden. In die Architekturgeschichte wird die Bundesrepublik als ein Land eingehen, in dem die neuen Häuser am liebsten sehr alt aussehen und die alten Häuser sehr neu.

Ich glaube heute, dass es einen direkten Zusammenhang gibt zwischen der oft recht blässlichen Verfassung vieler gut-situierter westdeutscher Altersgenossen und den grellweißen Trutzburgen, in denen sie aufgewachsen sind. Ich glaube, dass es ihnen in ihrer Jugend dort meistens einfach im Wortsinne nicht dreckig genug ging. Wo der Westen wohlhabend ist, gibt er sein Geld sofort für Desinfektionsmittel aus, er verschanzt sich hinter Thermofenstern, versteckt sich hinter gigantischen Wärmedämmungen und lässt den fortifikatorischen Geist des Westwalls mit ökologischen Argumenten wieder aufleben. Seit diese Bau- und Wohn- und Dämmstandards auch im Osten gelten, soll ja auch dort die Zahl von Allergien massiv ange-stiegen sein.

Damals, bei dieser ersten Besichtigung, konnte ich nicht ahnen, wozu das Weiß in Hamburg wirklich so wichtig ist. Ich wusste damals noch nicht, dass Hamburg eine Stadt ist, die bei gutem Wetter gar nicht recht weiß, wohin mit sich. Dass diese Stadt dann leidet wie ein Fisch an Land und völlig außer sich gerät. Man merkt das unter anderem daran, mit welcher In-brunst alle jüngeren Leute an halbwegs warmen Tagen am Elbstrand von Övelgönne vor der »Strandperle« anstehen, einer kleinen Bude mit einem winzigen Verkaufsfenster, durch das sie nach vielen Stunden des Wartens ihre zwei Getränke ge-reicht bekommen, von denen sie eins dann gar nicht mehr brauchen, weil ihre Begleitung inzwischen längst zu irgendei-nem dahergelaufenen BWL-Arsch ins Cabrio gesprungen ist. Und man merkt es an dem verheerenden Stau, der sich am engen Alsterufer unweigerlich dann bildet, wenn in der Stadt, die einerseits die meisten Cabrios, andererseits aber auch das schlechteste Wetter hat, mal für ein paar Minuten die Sonne scheint.

Ich brauchte eine Weile, um zu begreifen, dass Hamburg eine Stadt ist, die von depressiven Mönchen bei schlechtem Wetter für schlechtes Wetter in den Sumpf gerammt worden war. Und dass die Häuser deshalb so weiß waren: damit sie wie Laternen in die verregneten Tage hineinleuchten.

Es wäre also alles so weit zu verstehen und zu entschuldigen, wenn die ganze Stadt Hamburg wie ein weißer Schwan durch die trüben Wasser des Nordens schwämme. Tut sie aber gar nicht, denn das trifft nur auf die besseren Viertel zu. Der ganze Rest, etwa achtzig Prozent des Stadtgebietes, ist nämlich nicht weiß, sondern dunkelrot verklinkert. Und das kann unter den gegebenen Umständen eigentlich nur als infame Bosheit der Architekten den unteren Klassen gegenüber verstanden werden. J. erklärte mir, dass man in Hamburg den Backstein als einen nordischen Götzen verehrt und ihm aus Angst, dass er über die weißen Villen herfällt, freiwillig schon mehr alte Häuser geopfert habe als der ganze Krieg gefordert hat. Und dass die in den weißen Häusern jedenfalls sehr gerne Bildbände über die roten Häuser durchblättern. Und umgekehrt wahrscheinlich auch.

Wenn jemand selber zugezogen ist in eine Stadt (J.), versucht er sie naturgemäß anderen Nachzüglern (mir) noch schmackhafter zu machen, als das ein Einheimischer tun würde. Er muss sich schließlich für seine Entscheidung rechtfertigen. Und wenn man als Nachzügler solchen Leuten einen Gefallen tun will, schaut man überall noch aufmerksamer hin und ist dann tatsächlich den ganzen Tag am Staunen. Ich bestaunte aber nicht nur den Hafen, die Hafenstraße, die Prostituierten, die kühle Eleganz des Jungfernstiegs, den enormen Springbrunnen, den sie hier Binnenalster nennen, und was J. sonst noch alles in die touristische Route eingearbeitet hatte, ich bestaunte sogar den Bus, der uns an die jeweiligen Orte brachte. Vor dem Hinsetzen musste ich jedes Mal durch meine Beine hindurch lange den Sitz mustern. Wie jemand, der einer öffentlichen Toilette nicht traut, sagte J., der das unangenehm war. Aber ganz genauso sahen die Sitze tatsächlich auch aus, irgendwie voll geschweinert. Die Bezüge waren, vermutlich um Graffitischmierereien zu vermeiden, von vornherein schon kleinteilig beschmiert. Was die Hamburger Verkehrsbetriebe da mit ihren Sitzen gemacht hatten, war das, was man gemeinhin als Selbstmord aus Angst vor dem Tode bezeichnet. Und diese Angst scheint in Hamburg überall sehr, sehr groß zu sein. Eine verwandte Form von vorauseilender Selbstverstümmelung fiel mir in der Innenstadt immer wieder auf: an der Skulptur etwa, die in der Mönckebergstraße vor der so genannten Landesbankgalerie steht, einem in sich verdrehten Stapel aus metallenen Pizzaschachteln; ich sah es an den Waben des Horten-Kaufhauses und sogar am Ziegel-Zierrat des grandiosen Chile-Hauses: alles, was Ecken und Kanten hat, steckt in Hamburg unter einem großmütterlichen Haarnetz aus feinem Draht. Ich weiß nicht, wer der größere Feind ist, die Vögel oder die Graffitisprayer, auf jeden Fall ist es die Verunreinigung. Das Ziel ist die abwaschbare Stadt. Und die Verwirklichung dieses Zieles ist das, was Hamburg selbst als seine »City« bezeichnet und gleich doppelt angelegt hat, City Nord und City Süd: zwei Büroparks voller klarer, kalter, rationaler Gebäude. Überwältigende Idealstadtprospekte wie aus der Renaissance sind das – von großer aseptischer Schönheit und absolut unkontaminiert von menschlichem Leben. Die betonierte Leere des Sozialismus war ja immer noch darauf ausgelegt gewesen, von jubelnden Werktätigen ausgefüllt zu werden. Weil die Werktätigen so selten jubeln wollten, kam die Ödnis einer Fehlermeldung gleich. Im Westen war es genau umgekehrt. Die Leere der beiden Hamburger Citys schien das Ziel der Anstrengungen zu sein und auf das Funktionieren der Verhältnisse hinzuweisen. Werktätige hätten darin allenfalls unschön nach Streik ausgesehen und das Bild getrübt. Das Bild einer Welt nach dem Abwurf der Neutronenbombe. Und wenn das vielleicht noch nicht unbedingt eine bessere Welt war, dann auf jeden Fall aber eine reinlichere. Weil solche misanthropischen Endzeitvisionen aber im Hinblick auf die

Bevölkerungsentwicklung vermutlich ohnehin bald auch dem Rest des Landes drohen, sollten gerade Graffitis – gewissermaßen als der Vogelkot absterbender Industriegesellschaften – endlich die Wertschätzung und am besten auch gleich den Denkmalschutz erfahren, den sie verdienen: als eine der wichtigsten ästhetischen Bereicherungen, die Deutschland jemals von Amerika erhalten hat. Sie allein bewahren heute vor dem endgültigen Absturz ins Gespenstische.

Von mir aus kann alles, was in Deutschland rumsteht, besprayt werden. Ausgenommen vielleicht ganz wertvolle historische Sehenswürdigkeiten.

Aber davon hat ja Hamburg so gut wie keine.

Das muss übrigens auch der Grund sein, weshalb die Hamburger von ihrer Stadt so eingenommen sind. Die wirklich bedeutenden Bauwerke werden in den Augen ihrer Anwohner ja immer sehr schnell zu einem blinden Fleck. Kaum ein Kölner fällt, wie sich das eigentlich gehören würde, jedes Mal verzückt auf die Knie, wenn er den Hauptbahnhof verlässt und zum Einkaufen an seinem wunderbaren Dom vorbeimuss. Und mir war lange der Dresdner Zwinger absolut gleichgültig. Ein verschnörkelter Kulturappellplatz, zu dem einzigen Zweck wiederaufgebaut, um von dicken sowjetischen Funktionärinnen in braunen Röcken durchwackelt zu werden; und wenn man ihn mal einem Besucher zeigen wollte, versammelten sich in seinem Innenhof gerade zehntausende Neonazis zu irgendeinem ihrer dämlichen Aufmärsche. So sah ich das damals, als ich noch in Dresden wohnte. Dass ich den Zwinger heute am liebsten kaufen und dort einziehen würde, liegt nur daran, dass ich ihn später wie ein Tourist liebgewinnen konnte. Der persönliche Bezug dürfte sich grundsätzlich umgekehrt proportional zur Berühmtheit der Sehenswürdigkeiten verhalten. Darüber kann sich jeder problemlos ein Bild machen, der sich mal mit Leuten aus Rom oder Florenz unterhält. So erkläre ich mir jedenfalls, dass die Hamburger ihre Stadt und ihre versteckten Schätze, den Michel zum Beispiel oder die Industriebauten der Speicherstadt, so rührend und aufopfernd lieben: weil sie Angst haben, dass es sonst niemand tut.

Als zentrale Sehenswürdigkeit wollte mir J. das Hamburger Rathaus verkaufen. Es sieht tatsächlich sehr imposant aus. Aber es ist nicht halb so beeindruckend wie das, was genau davor steht: »Rügi's Snack Bar«, eine Art Gewächshaus aus dicken Aluminiumprofilen und verschmiertem Glas; darüber wölbt sich ein Giebelelement, das einer halbierten Apfelsine gleicht, die auf einer besonders missratenen Alessi-Presse zu stecken und sich von dort aus fortwährend in Rügi's Fantadosen zu entsaften scheint.

»Welcome Croques Wein Kaffee« verkündet die Markise.

Ich fand das sehr mutig, und ich hätte nicht gedacht, im Herzen dieser selbstbewussten Stadt auf ein derart schäbiges Gestänge zu treffen. Auf die gleiche Imbissbudenkultur, die ich von zu Hause her kannte.

In den ersten Jahren nach 1990 waren die Innenstadtbrachen des Ostens restlos ausgefüllt gewesen mit solchen Baracken. Sogar Bankfilialen residierten jahrelang erst einmal in Containern. Aber das waren Provisorien gewesen, die später etwas Soliderem weichen würden. »Rügi's Snackbar« machte dagegen den traurigen Eindruck, dass sich gut bezahlte Heerscharen von Stadtplanern und Architekten lange den Kopf darüber zerbrochen hatten, wie sie »urbanes Leben« in die Hamburger Innenstadt »zurückbringen« könnten. Es wirkte leider nicht viel urbaner als »Karin's Futterkrippe« an der Autobahnauffahrt bei Dresden. Und die ist immer noch ein ungelenkes Zeichen von Aufbruchswillen gewesen. »Rügi's Snackbar« am Hamburger Rathausmarkt war dagegen ein trister Endpunkt. Obwohl sie vorher da war.

Gut, dachte ich, die Hamburger haben einen seltsamen Geschmack. Sie streichen die besseren Wohnlagen so weiß, dass man sich kaum traut, sie mit Straßenschuhen zu betreten. Fast alles andere verklinkern sie, bis die ohnehin nicht sehr einladenden Wohnzeilen so deprimierend düster aussehen, dass es lebensbejahender ist, zu Hause zu bleiben und »Suicide« zu hören. Sie putzen ihre Stadt, bis sie hygienischer ist als ein Klinikflur, und wenn sie merken, dass sie auch so anheimelnd wirkt wie ein Klinikflur, versuchen sie nachträglich, mit unschön geformten Imbissbuden »städtisches Leben« und womöglich sogar »Basar-Atmosphäre« zu simulieren.

Zu meiner Überraschung gab es dann aber doch ein paar Viertel, wo dieses Leben noch in seiner ganz selbstverständlichen Ausprägung vor sich hin wimmelte. Kleine Läden, Häuser mit Benutzungsspuren, manche sogar grau! Und wenn man genau hinschaute, konnte man auch gelegentlich so etwas Ähnliches wie Dreck auf der Straße liegen sehen.

Prima, freute ich mich, hier ziehe ich hin. »Das wird schwierig«, sagte J. und schaute mich mitleidig an, »das sind die Viertel, wo alle hinziehen wollen.«

Wieso denn das, wollte ich wissen – alles sei doch da so, wie es die Hamburger offenkundig gerade nicht mögen.

»Wahrscheinlich eben drum«, sagte J. resigniert.

Wohnwelten

Das Glück liegt nur in gewissen französischen Filmen in der Wiese.

In Deutschland wohnt das Glück, und zwar, wie es sich gehört, hinter soliden Mauern. Dass die Deutschen ausschließlich dort, zwischen den eigenen vier Wänden, Seelenfrieden und Erlösung finden können, sieht man an den gewaltigen Einbauküchen, Schrankwänden, Polstergarnituren und Heimelektroniktürmen, die in Deutschland wie Heiligenschreine in die aufwändig gegen Kälte, Zugluft und nuklearen Niederschlag abgedämmten Eigenheime gestellt werden. Frauen wollen »Nest bauen«, Männer »heimwerkern«. Und seit Friedrich Engels' gleichnamiger Schrift gilt in Deutschland, dass die soziale Frage grundsätzlich gleichbedeutend mit der »Wohnungsfrage« ist. Auf dem Hamburger Immobilienmarkt lässt sich verblüffend gut nachvollziehen, wie Recht Engels zumindest vom Grundsatz her hatte: Wohnen ist eine hochpolitische Angelegenheit.

─◆─

Das Haus war ein Altbau im nördlichen Teil von St. Pauli, fast schon im Schanzenviertel. Also nicht nur in einem der »üblichen Viertel«, wie sich geübte Wohnungssucher in ihren Anzeigen ausdrückten, sondern sogar in gleich zweien.

Um diese frühe Uhrzeit war es noch ruhig in der Straße, nur ein türkischer Gemüsehändler stapelte seine Kisten vor den Laden, und eine tätowierte Kellnerin kurbelte gähnend die

Markisen eines Cafés hoch. Aber nach allem, was ich inzwischen gelernt hatte, war davon auszugehen, dass später an diesem Morgen elternfinanzierte Studenten mit diagonal über den Rücken geworfenen Umhängetaschen aus den Hauseingängen stürzen, den Gemüsetürken einen jovialen Gruß zuwerfen und dann in dem Café Milchkaffee aus genau den gleichen Schalen trinken würden, aus denen sie jetzt gerade in ihren Wohnküchen das Müsli löffelten.

In den neunziger Jahren war die bauchige Keramikschüssel noch das Insignium einer besseren Lebensart. Sogar im Osten. Dort waren es nach der Wende vor allem sehr blasse, zur Poesie neigende Mädchen gewesen, die sich mit beiden Händen an ihrem Café au Lait festhielten wie an einem Ofen und in die milchige Entengrütze auf dem Kaffee die Brandung der Côte d'Azur hineinsahen. Irgendwann gegen Mitte oder Ende des Jahrzehnts hat sich das fernwehsüchtige Lebensgefühl geografisch umorientiert. In den meisten Gegenden Richtung Italien, aus Café au Lait wurde der Latte Macchiato. In Hamburg überraschenderweise eher nach Portugal, Freunde von mir nennen gewisse Straßen im Schanzenviertel heute nur noch Galão-Strich. Vom französischen Savoir-vivre sind heute eigentlich nur noch die fettigen Croissants übrig geblieben. Man kann das überall bei Bäckern beobachten, in deren Einzugsgebiet junge Besserverdiener wohnen. Die Leute machen den ganzen Tag lang Diät und Sport, nur morgens sagen sie sich »Liberté toujours« und kaufen zehn »Schokocroissants«. Den Kaffee zum Croissant, oder jedenfalls das, was die Milch davon übrig gelassen hat, den trinken bewusste Menschen heute aber fast nur noch aus dem Glas.

Abzusehen war das alles nicht. Damals sah es noch so aus, als würde die frankophile Liebe zu den Milchkaffee-Müsli-Schüsseln jedes Examen überdauern sowie alle Gehaltserhöhungen und künftigen Kücheneinrichtungen, selbst wenn dort, wo jetzt der eigenhändig abgebeizte Oma-Tisch stand, später einmal ein freistehender Chromherd thronen würde. Schon bald, da war ich mir sicher, schon bald würden junge Muttis qualitätsbewusst eingekaufte Lebensmittel in den Gepäcknetzen ihrer Kinderwagen durch genau diese Straße schieben. Und vielleicht, wer weiß, würde eine von ihnen dann ja für mich an diesem Chromherd Dinge kochen, die sie »lecker« nennen, schonend garen, thailändisch würzen und dann in den alten Müslischüsseln servieren würde. (Ich würde vorher heimlich irgendwo eine Bratwurst essen gehen.) Und wenn nicht, dann könnte ich immerhin behaupten, bereits da gewesen zu sein, bevor der ganze Rummel losging. So was gilt in beliebten Wohnvierteln schließlich auch was. Vorausgesetzt natürlich, ich bekam die Wohnung.

Als ich auf die Anzeige hin angerufen hatte, war ein Anrufbeantworter dran gewesen, dessen Ansagetext, wie damals bei fast jedem Anrufbeantworter, von Max Raabe stammte. Dann war mir aber aufgefallen, dass er gar nicht wie sonst »Kein Schwein ruft mich an« schnarrte, sondern »Hallo, wer spricht da?« Und dann war es gar nicht Max Raabe, sondern die Vermieterin, deren Stimme nur einfach aus einem alten UFA-Schinken zu stammen schien, wie der ganze Rest der Frau übrigens auch. Sie war um die siebzig und ihr geschminktes Gesicht glich einem Bratapfel, sie trug die Frisur von Hannelore Kohl und den Reifrock der Prinzessinnen von Velázquez, nur dass bei ihr die Beine an die Peripherie des ausladenden Kleidungsstückes versetzt waren, das heißt, ihre Hüfte war ungefähr anderthalb Meter breit. Die Frau strahlte anatomisches und atmosphärisches Unheil aus. Außerdem hatte sie einen kleinen Wicht mit Halbglatze und Pollunder bei sich, den sie als »mein Hausmeister« vorstellte; das changierte vom Klang her ungut zwischen »mein Führer« und »mein Domestik«, und vom Inhalt her vermutlich auch. Die angebotene Wohnung war dann von der Güte, dass man ein bisschen ratlos am Thermofenster steht und genauso unsinnig gegen den

Plastikrahmen klopft wie die Leute, die bei unseriösen Autohändlern mit der Schuhspitze gegen die Reifen treten, wenn sie professionell tun wollen.

Der Wicht pries die Qualität der Kochnische, der Raufaser und der hellblauen Auslegeware. Man sollte in solchen Fällen ohne Umschweife deutlich machen, dass rau gefaserte Kochnischen hinter Thermofenstern menschenunwürdiger Müll sind, auf dem Absatz kehrtmachen und dabei in der hellblauen Auslegeware einen dunkelblauen Fleck hinterlassen. Wenn man es bei vagen Höflichkeiten belässt, wird man nämlich anschließend tief in Vermieterinnensofas, geschichtliche Abgründe und braunen Morast gedrückt, und kommt am Ende kaum noch raus.

Das Haus sei sehr schön, erklärte die Vermieterin, und zwar deshalb, weil es genau drei Dinge in diesem Haus nicht gebe. Erstens Tiere und zweitens Kinder. »Und drittens?«, fragte ich. »Drittens«, sagte sie und sprach plötzlich etwas fahrig und zur Seite weg, so dass ich sie kaum noch verstand. »Was? Außengeländer?«

»Ja, mein Gott, Ausländer, schauen Sie sich doch die Gegend mal an, wie heruntergekommen alles ist.«

Damit war es wenigstens raus, die alte Frau atmete wieder ruhiger und sah mich erwartungsvoll an.

Das bürgerliche Wohnzimmer ist eine Falle, dachte ich. Die schweren Polster sind Fleisch fressende Pflanzen. Man steckt in einer Ecke fest, im Herrgottswinkel, die Fluchtwege sind einem durch monströse Möbel verstellt. Die Gesellschaft ist eine geschlossene, die Gespräche drehen enge Kreise und werden zu Schlingen.

Was ich denn »für ein Landsmann« sei, fragte die Alte. Ich hatte große Angst, als besonders kindisches Ausländervieh dazustehen, schwieg verbissen den Couchtisch an und wischte mit der Hand zaghaft über die Glasplatte, die eine geklöppelte Tischdecke bedeckte. Im Tonfall erfahrener Fernsehkommissare fragte der Hausmeister, wo ich denn zuletzt gewohnt hätte. Und als ich kleinlaut »Drsdn« hauchte, brüllte er lauthals »DRESDEN!«. »DREESDEN!«, schrie er in das Bratapfelgesicht der Vermieterin und zeigte mit der flachen Hand auf mich. Ich war jetzt ein prozessentscheidendes Beweisstück. Dann fragte er, wieder in den Ermittlerton verfallend, wie noch mal das Gebäude rechts neben der Brücke heiße. Es gebe eine Menge Brücken und Gebäude da, erwiderte ich mutlos. »Narrenhaus«, schrie der Mann. Ich erinnerte mich an eine speckige Bierschwemme, die da stand, wo früher ein Hofnarr, der allen Ernstes Fröhlich hieß, seinen Barockpalast stehen hatte. »Narrenhäusel«, korrigierte ich den Hausmeister leise, »das ist aber weggebombt worden im Krieg … .«

»Eben«, fiel der mir ins Wort, »eeeben« sagte er, »weg-ge-bombt!«, und jede Silbe klang wie ein Einschlag und riss dunkle Krater in die gardinenverhangene Gemütlichkeit dieses Vormittags. »Ich habe das mit ansehen müssen.«

Als Dresdner weiß man irgendwann nicht mehr, was verheerender ist: die Zerstörung der Stadt oder die Zeitzeugenberichte darüber. Ich hätte nicht gedacht, ausgerechnet in Hamburg, wo sie außerdem ihren eigenen Feuersturm hatten, zum abertausendsten Male hören zu müssen, »wie es wirklich war«, das ganze Programm: der friedliche Karneval, alle noch verkleidet, die »Christbäume« am Himmel, die erste Angriffswelle, die Phosphorbomben, die Menschen, die auch im Wasser nicht aufhörten zu brennen … .

Die Augen wurden mir schwer, ich wusste, dass die zweite Angriffswelle noch bevorstand, die Tiefflieger und vor allem die historisch-moralische Bewertung, die gewöhnlich den meisten Raum einnimmt. Die Vermieterin kannte das alles offensichtlich ebenso auswendig, sie saß da und nickte bei jedem Punkt wie eine Souffleuse, die jederzeit bereit ist, mit einem Stichwort weiterzuhelfen, falls der Hausmeister sich im Luftkampf seiner Erinnerungen verlieren sollte. Zwischendurch stand sie schwerfällig auf, wankte zu einem Wäscheschrank und holte einen Teller Gebäck hervor, der mir vorkam, als sei er zu irgendeiner Kriegsweihnacht angerichtet und seither nur ganz ausgewählten Gästen zum Naschen vorgesetzt worden. Einer der Kekse war bereits angebissen, und ich malte mir aus, wie ein Volkssturmgreis an diesem Keks seinen letzten Zahn gelassen hat, bevor er mit der Panzerfaust in den Endkampf gehumpelt ist. Die Menschen brannten immer noch in Dresden und rannten über die Elbwiesen, und aus den Tieffliegern schossen sie ihnen mit Maschinenpistolen in den Rücken. Tiefflieger, dachte ich gähnend, die zweite Angriffswelle, gleich kommen irgendwoher die Juden. Ich musste nicht sehr lange warten, über die Begriffe »Verbrecher«, »Kriegsverbrecher«, »Vernichtungskrieg« und »angeblicher Vernichtungskrieg« kam der Hausmeister auf die Juden zu sprechen, die sofort wieder krumme Geschäfte mit dem Elend der Ausgebombten gemacht hätten, und das, obwohl sie angeblich alle vergast worden seien. Ob ich zum Beispiel wisse, dass Ignaz Bubis, dem heute halb Frankfurt gehöre, möglicherweise auch halb Dresden gehörte, wenn ihn die Russen nicht wegen seiner Schiebergeschäfte von dort verjagt hätten, und ob damit nicht klar sei, was in diesem Land los ist.

Nein! Das heißt: Ja, ich habe das alles schon tausendmal gehört, und ich plane bereits seit längerem eine große Gala mit all den Leuten, die mir ständig vielsagende Geschichten erzählen darüber, wie Bubis und Friedman in den Nahostkonflikt, die Oktoberrevolution, die Zerstörung Dresdens und die amerikanische Börse verstrickt sind. Es dürfte eine sehr große Party werden, aber ich kenne auch genügend libanesische Falafelbuden-Besitzer, die sicherlich gern das Catering übernähmen.

Die Vermieterin goss Likör in gravierte Gläschen und prostete auf die Jugend im Osten, die, wie den Zeitungen zu entnehmen sei, noch etwas mehr Mumm habe als die im Westen und sich wenigstens wehre, ich wisse schon, wogegen. Es wäre diesen Leuten sicher auch recht, dachte ich, wenn man statt der Miete jeden Monat einen Skalp ablieferte. Die Lage im Land sah nämlich nach Einschätzung des Hausmeisters folgendermaßen aus:

»Da kommt Herr Ananas an die Grenze und sagt ›Tag, hier bin ich, ich möchte bitte ein Haus, ein Auto und eine blonde Frau, aber arbeiten will ich nicht.‹ Und Madame Kiwi wirft zehn Kinder, die ich mit meinen Steuern durchfüttern darf, damit sie mir dann zum Dank in den Hauseingang kacken.«

»Unsere Hoffnung sind Leute wie Sie«, sagte die Hausbesitzerin und tätschelte meinen Unterarm, »ich bewundere das, wie Sie sich von dem Regime befreit haben. Aber passen Sie auf, das hiesige Regime ist nicht besser, lassen Sie sich nicht einseifen, kämpfen Sie für Ihre neue Freiheit.«

Freiheit, das nahm ich als Stichwort; ich müsse dann mal.

»Sie haben die Wohnung«, sagte der Bratapfel.

»Mal sehen«, murmelte ich.

»Schön«, sagte der Hausmeister, als er mir an der Tür sehr fest und kameradschaftlich die Hand schüttelte, »schön, dass man mal so offen mit einem jungen Menschen sprechen konnte über alles.«

—••—

Die Telefonnummer hatte in der Universität an einem der so genannten schwarzen Bretter gehangen, von denen nur sehr alte Hausmeister oder spätere Archäologen sagen können werden, ob sie wirklich schwarz sind unter dem Fell von Zetteln, das die Jahre über darauf gewachsen ist.

Es war die einzige Zimmeranzeige gewesen, deren Bedingungen zumindest theoretisch auch ich erfüllte. Alle anderen erforderten weibliches Geschlecht, lesbische Sexualität, vegetarische Ernährung, Sympathie für Katzen, Karl Marx und/oder Ayurveda.

Hier hieß es nur vergleichsweise harmlos »keine Zweck-

WG«. Im Allgemeinen bedeutet das, dass Wert darauf gelegt wird, abends gemeinsam in Balsamico ertrunkene Blattsalate zu essen. Aber das, fand ich, ließe sich auf sich nehmen für ein schönes Zimmer in einem der üblichen Viertel.

So schön war es dann allerdings gar nicht. Das heißt, es war wunderschön, aber es befand sich etwas darin, wofür – in der Anzeige war das verschwiegen worden – 800 Mark »Abstand« fällig waren: ein Hochbett.

Wozu bauen Leute Hochbetten in ihre Zimmer? Um noch eine enge, gefährliche Leiter hochkraxeln zu müssen, wenn sie betrunken nach Hause getorkelt kommen. Um eine enge, gefährliche Leiter runterkraxeln zu müssen, wenn sie in der Nacht aufs Klo müssen. Um ihren Schreibtisch darunter zu stellen und sich dann immerzu den Kopf einzuschlagen. Um sich immerzu den Kopf einzuschlagen, wenn sie aus ihrem Bett aufstehen oder darin Sex haben. Um mit der Zeit überhaupt keinen Sex mehr zu haben, weil vernünftige Frauen nachts natürlich nicht auf blöden Leitern herumklettern. Und wenn es selber eine Frau ist, die dieses Hochbett bewohnt, dann sollten wiederum empfindsame Männer da nicht hochklettern, denn Frauen, die in Hochbetten schlafen, schrecken gewöhnlich auch nicht davor zurück, dies in Batikhemden zu tun. Ich erwähne das nur, damit niemand, der das nicht weiß, eines Tages vor Schreck hinterrücks herausstürzt aus so einem Bett. Wie schmerzhaft so etwas ist, weiß jeder, der schon einmal in einem Ferienlager oder einer Jugendherberge war.

Schlimm ist nur, dass sich meistens die ganz besonders linken Leute so wenig von ihren Pfadfinderphantasien lösen können. Wer unbedingt wie in einem Doppelstockbett »oben« schlafen will, der soll gefälligst zur Armee gehen, statt zu verweigern und die Bundeswehr den Hauptschulabgängern und Neonazis zu überlassen. Kann auch sein, dass das Hochbett einmal eine Gegenreaktion auf das Futon war. Auf das harte, aggressive Schlafmöbel der Achtzigerjahre-Yuppies, das tiefergelegte Schlafen, den Porsche unter den Bettstätten. Aber jemand, der deshalb sein Bett gleich bis unter die Decke aufbockt, bestraft damit eigentlich weniger die Yuppies als sich selber und wirkt genauso albern wie einer, der im Jeep durch die Stadt fährt.

Meine Aversion gegen Hochbetten hat natürlich mit traumatischen Erfahrungen zu tun. Im Herbst 1992 zog ein Hochbettfetischist in ein besetztes Haus in Dresden, in dem auch ich damals gelegentlich verkehrte. Er war einer von denen gewesen, die gleich nach der Wende in die weite Welt ausgezogen waren, ein paar Jahre in Aussteigerkommunen zwischen Indien, Südfrankreich und Holland verbracht hatten und nun allmählich wieder eintrudelten, wobei sie ein schwer erträgliches Sozialverhalten mitbrachten. Früher war er vermutlich mal Punker gewesen, inzwischen glich er einem Kobold. Er spielte Diabolo, hämmerte stumpf auf Bongotrommeln herum, spuckte Feuer und jonglierte mit Fackeln. Wenn er das nicht tat, kiffte er, erzählte allen, dass sie keine Ahnung haben und malte mit weißer Farbe linksradikalen Blödsinn auf den Bürgersteig, der abwechselnd die Polizei und die Neonazis in das Haus lockte. Und eines Montagmorgens auch einen langhaarigen, weinenden Mann. Er sei Tischler, sagte der Mann. Seine Werkstatt liege nur ein paar Straßen weiter, ein winziger Betrieb, der um das Überleben kämpfe und nur noch eine einzige Chance habe, einen Orgelbauauftrag, der ein ganz spezielles Holz aus einer schwer zugänglichen Region der Schweiz erforderte, ein sehr, sehr teures Holz. In den auf Maß zugeschnittenen, hauchfeinen Holzbrettern stecke nicht nur das letzte Betriebskapital, sondern auch sein ganzes privates Vermögen sowie die Zukunft seiner vier Mitarbeiter, die im Übrigen allesamt Aktivisten einer alternativen, kleinteiligen Kiezkultur seien und eigentlich keinerlei Anlass zu ideologischen Vorbehalten sein sollten. Das Holz sei nämlich seit diesem Wochenende weg. Und er sei jetzt einfach mal den Schleifspuren nachgegangen, und so sei er an diese Tür geraten. Ob er das Holz jetzt bitte wiederhaben dürfe.

Innerhalb des Hauses führten die Schleifspuren zur Tür des Kobolds. Er hatte sich aus dem Holz ein Hochbett über die gesamte Fläche des Raumes zusammengezimmert, wie einen doppelten Boden, allerdings ohne statische Rücksichten – und das extra feine Spezialholz war unter seinem vom Haschisch schweren Körper genauso zusammengebrochen wie daraufhin der arme Tischler.

Das war das erste Mal, dass ich daran dachte, vielleicht doch lieber Nazi zu werden. Seitdem kann mir niemand mehr erzählen, dass durch Feuer schluckende Bongotrommler auf Hochbetten die Welt besser wird. Und schöner wird sie dadurch erst recht nicht.

Wer hohe Altbauzimmer mit Hochbetten erniedrigt, sollte zur Strafe in Sozialwohnungen oder Plattenbauten gequetscht werden.

Es wäre mir selber lieber, wenn das alles nur unbegründete Vorurteile wären. Leider sind aber wenige Dinge so verlässlich wie habituelle Kopplungen. Wo man Hochbetten gezeigt bekommt, wird man gewöhnlich auch gefragt, ob man »einen Tee« möchte. Es gibt vermutlich überhaupt nur zwei Situationen, in denen man sich unter allen Umständen felsenfest darauf verlassen kann: wenn man sich zufällig nachmittags um fünf in einem englischen Landsitz aufhält und wenn man wegen eines Zimmers in einer Wohngemeinschaft vorspricht. Wahrscheinlich gibt es sogar Leute, die solche Termine überhaupt nur des Tees wegen wahrnehmen. Tee-Schnorrer, die sich für die annoncierten Zimmer gar nicht interessieren, dafür aber umso besser wissen, wie man bei der inquisitorischen Teezeremonie »richtig« sitzt.

Ich wusste das natürlich wieder nicht. Die Leute schlugen alle mindestens ein Bein nach hinten und setzten sich auf die Fersen; in einem Beduinenzelt wäre das bestimmt bequem gewesen, auf konventionellem Gestühl sah es ein bisschen anstrengend aus. Wie Yoga. Um nicht allzu spießbürgerlich zu wirken, schlug ich dann immerhin meine Beine übereinander, und zwar nicht so sekretärinnenhaft eng, sondern breit und testosteronsaftend männlich, das heißt, mein rechter Knöchel kam auf meinem linken Knie zu liegen. Ein schöner Nebeneffekt war, dass dadurch auch meine Stiefel gut zur Geltung kamen, und das schien mir wichtig, um hier das Eis zu brechen: Schaut her, Sportsfreunde, wollte ich damit sagen, wir tragen die gleichen Schuhe, die Sohlen sind schon ganz abgelaufen von den vielen Demonstrationen, und über das Hochbett reden wir noch mal.

Aber dann redeten wieder alle nur über »Dunkeldeutschland« und über Dresden. »Die neue Hauptstadt der Bewegung«, sagte der Wortführer dieser WG wissend. Er studierte Politikwissenschaften, und er schaute mich an, als sei ich persönlich dafür verantwortlich, dass es in meiner Heimatstadt so viele Rechtsradikale gab. Er kramte ein Poster hervor, das »sie«, wer auch immer das war, drucken lassen hatten und demnächst in Dresden plakatieren wollten.

Es zeigte den bekannten Blick vom Rathausturm auf das rauchende Ruinenmeer der Dresdner Innenstadt. Drüber stand »Bomber Harris said: I would do it again«, und drunter stand: »We say: Do it now!«

Ob sie noch alle Tassen im Schrank haben, wollte ich gern wissen. Die Dresdner Erinnerungszeremonien an die Bombennacht, dozierten sie, seien ganz klarer Geschichtsrevisionismus. Und dass sie sich nicht vorstellen könnten, mit jemandem zusammenzuwohnen, der politisch derart indifferent ist, das aus gefühligem Lokalpatriotismus dermaßen zu verkennen wie ich.

Sie sollten, schrie ich, bitteschön alle mal hübsch die Schnauze halten, wenn sie, und das stand in ihren Nutellakindergesichtern geschrieben, noch niemals einem leibhaftigen

Neonazi gegenübergestanden haben, und damit meinte ich einen, der so breit wie hoch ist, geschweige denn, was nämlich der Normalfall ist, gleich einer ganzen Horde. Dass sie mal lieber vor ihrer eigenen Haustür kehren sollten. Dass ich nämlich zum Beispiel wüsste, wo der Hamburger Neonaziführer Christian Worch wohnt. Dass ich aber nicht wüsste, warum Leute, die am liebsten ganze Städte in Schutt und Asche legen würden wegen der darin ihr Unwesen treibenden Rechtsradikalen, diesen Mann in ihrer eigenen Stadt völlig unbehelligt herumlaufen lassen. Und dass man beim Teetrinken besser den Mund zu halten hat, wenn man es inmitten von Gegenden wie dem Hamburger Schanzenviertel, was den rauen Wind der deutschen Wirklichkeit betrifft, sehr behaglich, warm und ungefährlich hat. Außerdem: dass sie ohnehin in ein paar Jahren, wenn sie sich allmählich selbst auf die Nerven gegangen sind mit ihren dünnlippigen Agitationen, ihre St.Pauli-Jacken gegen enge Anzüge tauschen und als Redakteure beim NDR oder beim Spiegel oder sonstwo viel Geld verdienen werden mit zynischen Rückblicken in eine Welt, die sie niemals wirklich verändern wollten. Dass sie jetzt schon auf dem Weg waren, zu jenen linken Yuppies zu werden, die diese Gegend eines Tages, wie man unter Stadtsoziologieinteressierten so sagt, gentrifizieren werden.

Das alles schrie ich ihnen entgegen, oder hätte es zumindest gern getan, jedenfalls dachte ich es sehr leidenschaftlich, als ich wütend davontrottete.

Abschiebung ist Mord, Fleisch ist Mord, Milch ist Raubmord und die Zerstörung Dresdens zu bedauern ist mörderischer Geschichtsrevisionismus und mindestens genauso schlimm wie die drohende Ermordung von Mumia Abu Jamal – um diese grimmigen Assoziationsketten durchzurasseln, muss ich mich nicht erst mit WG-Politologen ins Hochbett kuscheln. Das kann ich alles auswendig. Denn diese eigenartige Diskussionskultur zieht sich quer durch die üblichen Stadtviertel und die üblichen Universitätsfakultäten wie eine zweite, ins Hinterland versetzte Berliner Mauer. Mit tausend Selbstschussanlagen und Schikanen. Genauso undurchdringbar und letztlich genauso menschenfeindlich. Es gibt vermutlich nur sehr wenig in der Welt, was eigensinniger, ichbezogener, unsolidarischer und autistischer auf den Nerven einer Gesellschaft herumtrampelt als ein universell engagierter und dauererregter ASTA-Funktionär, dessen einziger kümmerlicher Lebensimpuls der ist, stets mit sich selber im Reinen zu bleiben und sich auf der sicheren Seite zu wissen.

Mein persönlicher Favorit war übrigens ein schon etwas reiferer Student, der grundsätzlich jeden als »Genossen« ansprach. Selbstverständlich stand zur Sicherheit auf seiner Kleidung »Gegen Nazis«.

»Was hast du eigentlich gegen uns?«, habe ich ihn deshalb eines Tages mal gefragt, aber das konnte er auf die Schnelle dann auch wieder nicht beantworten. Sehr gern hätte ich ihm den Aufkleber gekauft, den ich einmal unweit der Universität in einem wunderbaren Plattenladen an der Tür entdeckt hatte: »Nazis gegen Rechts«, stand da drauf. Leider war das ein Einzelstück.

───◆───

Das Mädchen hätte auch »Hornochse« sagen können. Es sagte nicht einmal das. Das Mädchen sagte nur, sehr verächtlich: »Horn«. So wie Leute, die »das Arsch« sagen, weil »das Arschloch« schon mehr Silben hat, als ihnen die Angelegenheit wert ist.

Horn heißt einer dieser tristen Stadtteile von Hamburg, wo Leute wie ich am Ende landen, weil sie zu politikverdrossen, zu heterosexuell, zu fleischfressend oder ganz einfach zu finanzschwach sind für die üblichen Viertel, in denen schöne Zimmer 700 Mark kosten. Horn ist eine deprimierend langweilige Gegend voller verklinkerter Wohnzeilen, die noch

nicht mal das Zeug haben, für Sozialreportagen über Jugend-
gewalt als Kulisse zu dienen. Wenn ich dort aus dem Fenster
schaute, blickte ich über eine zehn Meter breite Rasenfläche,
die als Feuerwehrzufahrt frei von Nutzung zu halten war, auf
die nächste, nicht weniger deprimierende Klinkerfassade. Und
das Deprimierendste daran war, dass dort jeden Tag von früh
bis abends zwei alte Frauen aus ihren Fenstern schauten und
so taten, als gäbe es irgend etwas zu sehen, aber da war nichts,
nur die Fassade, hinter der ich stand. Sie legten jeden Morgen
Kissen auf die Fensterbretter und stützten dann ihre Arme darauf. Arme, denen man ansah, dass sie dieses Land aus Ruinen
wieder aufgebaut und nebenbei etliche Kinder gewickelt und
verdroschen und getätschelt hatten. Sie waren Trümmerfrauen
gewesen, jetzt waren sie Frauentrümmer. Der Ruhestand, den
sie sich verdient hatten, war ein Fenster mit Kissen zu einem
Hof, in dem nichts passierte.

In meinem persönlichen Fotowettbewerb über die Einsamkeit des Alters rangiert dieses Bild noch vor dem von der alten
Dame, die fein gemacht ganz alleine Sonntag vormittags bei
McDonald's sitzt und eine Pappschachtel Chicken McNuggets
vor sich stehen hat. Wenn ich eine alte Frau wäre, würde ich
den ganzen Tag mit Freundinnen Torten in mich reinschau-
feln und dabei die Mütze aufbehalten. Ich würde mich pausenlos in Seniorenaktivitäten stürzen, im Osten bei der Volks-
solidarität, im Westen bei der Kirchgemeinde. Und vor allem
würde ich zusehen, dass ich alles Geld bis zum letzten Pfen-
nig bei ausufernden Kreuzfahrten verjubele, weil ich mir das
wert wäre und weil es ansonsten am Ende irgendwelchen idio-
tischen Enkeln in den Schoß fiele, die sich davon Barbourja-
cken kaufen, damit auch alle erkennen können, dass es ihnen
gut geht und dass sie nichts dafür getan haben und dass sie Idio-
ten sind, die fremdes Geld für widerwärtige Jacken ausgeben.

Es ist nämlich alles andere als eine Schande, wenn einem
die Eltern zum Abitur keinen Kleinwagen vor die Tür gestellt

haben. Im Gegenteil. In der Regel verhält sich da der Hubraum proportional zur Abschlussnote; in etlichen Heckfenstern meines Jahrganges an der Universität hätte statt »Abi 92« der Ehrlichkeit halber »Not-Abi« stehen müssen. Wenn ich jemals mit so einem Abi-Auto erwischt worden wäre, hätte ich alles geleugnet und behauptet, ich sei Fan des Schlagerduos Esther & Abi und finde aber nur Abi gut und Esther nicht.

Ich sage Nein zu dieser neureichen Form von »altem Geld«. Möglicherweise sind das aber alles sehr antiquierte und ostdeutsche Ansichten.

»Horn« hatte also das Mädchen geschnaubt, während ich die Milchschäumdüse zum Glühen brachte in dem Café, wo wir beide arbeiteten, weil wir das Geld nicht hatten, sondern es verdienen mussten, »Horn, das ist ja im Osten.« Damit meinte sie den Osten von Hamburg, nicht den von Deutschland. Aber für die Leute westlich der Alster kommt das vom Prestige her ziemlich auf dasselbe heraus.

Das Mädchen gehörte zu denen, die es der Welt übel nahmen, dass sie kein Abi-Auto geschenkt bekommen hatten. Sie hätte den Milchkaffee lieber ausgetrunken als ihn auszutragen.

»Dort würde ich noch nicht mal hinfahren, wenn ich da zu einer Party eingeladen wäre«, sagte sie.

Bis zu diesem Moment wäre ich jederzeit bereit gewesen, ganz allein für sie große rauschende Partys zu veranstalten. Seit diesem Moment habe ich nach dem richtigen Begriff für Leute wie sie gesucht, so lange, bis Thomas Kapielski sein Buch »Sozialmanierismus« geschrieben hatte, worin ich ihn dann endlich fand. Er lautet »Jobfotze«.

Das ist ein unschönes und hartes Wort. Und all die Göttinnen der Gastronomie, die in Würde haupt- oder nebenberuflich ihrer anstrengenden Arbeit nachgehen und ohne die man auf dieser Welt in keinem Falle eine einzige Minute länger leben könnte, möchte ich davon ausdrücklich ausgenommen wissen.

Und eigentlich tun mir auch die meisten Jobfotzen sogar aufrichtig Leid: kellnernde Studentinnen, deren Gäste es ausbaden müssen, dass nie ein Casting-Agent in ihre Kneipe kam, um sie für irgendwas zu entdecken. Sie sind oft ganz reizende, attraktive, hart arbeitende Menschen. Sie sind eigentlich die Guten. Aber leider denken sie, sie wären noch besser, wenn sie sich zu ganz besonders unerträglich prätentiösen Schnepfen aufblasen. Keine Ahnung, warum einem das bei Männern seltener ins Auge sticht. Vielleicht liegt es daran, dass Männern die Trübheit ihres Alltags meistens gar nicht so auffällt wie Frauen und dass sie deshalb viel weniger Überhöhungsbedarf verspüren. Als Mann lässt es sich im Allgemeinen sehr dumpf durchs Leben dümpeln. Sogar wenn ein Mann der Ansicht ist, Sprüche wie »zum Bleistift« oder »Sodom und Gomera« könnte noch irgendjemand unterhaltsam finden, wirkt das selten so peinlich wie bei einer Frau. Von Männern erwartet man im Grunde genommen nicht viel mehr. Von Frauen, aus welchen Gründen auch immer, irgendwie schon. Und Jobfotzen sind diejenigen, die diese Illusion am nachhaltigsten zerstören, weil sie oft noch nicht mal ihr Leben zu Hause im Griff haben, während sie sprachlich schon über den Broadway stolpern.

Sie benutzen von allen Anglizismen zielsicher immer die dämlichsten. Sie sagen Tip, wenn sie Trinkgeld meinen. Nicht nur dass wenige deutsche Worte ihren Gegenstand so präzise umreißen wie eben das Trinkgeld. Wenn von mir jemand einen Tipp will, und das gilt auch nach der Rechtschreibreform, bekommt er kein Geld, sondern einen Ratschlag, nämlich den, sich mal wieder einzukriegen. Denn wer zu Trinkgeld Tip sagt, sagt auch »Oops« – wie ein affektiertes Collegegirl aus einer amerikanischen Sitcom. Jobfotzen neigen sogar dazu, ihre eigene Zerstreutheit zu anglisieren. Wenn sie nicht weiterwissen, sagen sie nicht »Äh«, sondern »Ahm«. Mit ungeübten Ohren versteht man immer »Arm«.

»Ich, arm, studiere im 16. Semester Psychologie und, arm, model nebenbei.« Das klingt nicht nur wie ein Bettelvers.

Von mir aus soll jeder studieren und arbeiten, was und wie lange er will. Aber eine Psychologiestudentin, die ihren Briefkasten nicht mehr aufschließt, weil sie jeden Tag Angst hat, die Exmatrikulation wegen Zeitüberschreitung liegt drin, eine, die, ihren 35. Geburtstag vor Augen, immer noch ohne Lohnsteuerkarte in ihrem längst zum Lebensmittelpunkt gewordenen Nebenjob verblüht, ohne dass einer der Werbeheinis oder Musikproduzenten, die nach der Schicht auf sie gewartet haben, mal Anstalten machen würde, was Ernstes draus werden zu lassen – so eine Frau sollte sich sehr, sehr gut überlegen, ob es wirklich so klug ist, auch nur ein einziges abfälliges Wort über den Hamburger und im erweiterten Sinne den deutschen Osten zu verlieren, wo die Leute im Gegensatz zu ihr wenigstens gelernt haben, mit ihrem Scheitern umzugehen. Sie sollte sich ihrer Lage bewusst werden, es den Omis von Horn gleichtun, ein Kissen auf ihr Eppendorfer Fensterbrett legen und sich darüber freuen, dass Gastronomiemitarbeiter die Berufsgruppe mit der geringsten statistischen Lebenserwartung sind. Noch vor Journalisten.

Sekt auf Eis

Dienstleistungswüste Deutschland lautet ein oft zu hörender Tadel. Ich kannte damals noch keine Wüste. Aber ich kannte die DDR. Und das kommt vermutlich auf das Gleiche heraus. Deutschland ist eine Dienstleistungs-DDR. Jobfotzen, wie die oben geschilderte, liegen insofern wiederum gar nicht so falsch mit ihrem Benehmen. Die Leute im Westen haben eine befremdliche Sehnsucht, behandelt zu werden wie im Ostblock. Sie lassen sich ungern von freundlichen Kellnerinnen zuvorkommend bedienen, sie wollen »platziert« werden wie in der DDR (oder in den USA) und sich von schussligen Schnepfen anblaffen lassen, sonst geben sie kein Trinkgeld. Auch beim Einkaufen fühlt man sich schnell als ein kulturkonservativer Kauz, wenn man Wert legt auf Fachberatung durch einen kompetenten Einzelhändler; die anderen tragen ihr Geld lieber in Elektronikkaufhäuser, um sich dort von verschwitzten Computerverkäufern als Vollidiot runtermachen zu lassen. Und während ich seit 1990 panisch kehrtmache, wenn ich irgendwo eine Schlange sehe, scheinen sie es im Westen zu lieben, stoisch anzustehen, um ihr Geld loszuwerden, bei dem es sich immerhin um eine ziemlich harte Währung und nicht etwa um Złotys handelt. Das alles macht es schwierig zu sagen, in welchem Teil Deutschlands der Kapitalismus weniger Tradition hat. Dass ihn ostdeutsche Ladeninhaber mitunter noch nicht so ganz verinnerlicht haben, zeigt sich übrigens gerade nicht, wie immer behauptet wird, in dem Umstand, dass sie gelegentlich von einzelnen Produkten aus ihrem Sortiment verschwö-

95

rerisch abraten – das festigt eher das Kundenvertrauen. Es offenbart sich allenfalls in Dresdner Kaufhausangestellten, die einen mit dem Argument locken wollen, dieser oder jener graue Blouson werde »jetzt gern gekauft.« (So erklärt sich möglicherweise die maoistische Einheitskluft in ostdeutschen Fußgängerzonen.)

Der Osten ist seit den Zeiten der DDR ein bisschen exaltationsfeindlich. Der Westen schätzt schon eher das Ausgefallene und Besondere – am meisten schätzt er aber exaltiertes Personal.

Unter diesen Umständen musste ich eigentlich nur meine Erinnerungen an die demütigendsten Erlebnisse in den Gaststätten zwischen Suhl und Rostock wachrufen, um es auch endlich einmal zu nebenberuflichen Erfolgen als Kellner zu bringen. Das fiel mir dann sogar überraschend leicht, als ich in einem Lokal begann, das sich als Nachtklub verstand und eine Zeit lang der Ort war, wo sich die Hautevolee Hamburgs auf die Füße trat. Die Herren trugen anthrazitfarbene Hemden unter ihren Anzügen und die Frauen unter dem kleinen Schwarzen mitunter viel Silikon oder auch mal gar nichts. Pausenlos lief Gloria Gaynor, pausenlos hieß es »I will survive«, und pausenlos fand ich das sehr unwahrscheinlich. Denn die Leute bemühten sich nach Kräften, außer Rand und Band geraten zu wirken – so gut das mit einem norddeutschen Temperament und einer zu schweren Brieftasche eben geht. Und wenn sonst nichts half, versuchten ein paar degenerierte Reederssöhne einem das Tablett runterzuhauen, denn so was ist ja immer sehr lustig, wenn der Kellner dasteht wie ein Trottel und die Scherben auflesen muss.

Dabei sind die reichen Söhne von Hamburg im Vollrausch immer noch erträglicher als beispielsweise die von München.

Beim Oktoberfest, und, um ganz präzise zu sein, im Schottenhamel-Zelt, habe ich regelmäßig Lust, mich in die Boxen der Burschenschaftler zu übergeben, allein schon deshalb, weil die dann sofort rumbrüllen würden, das heiße nicht Burschenschaftler, sondern Burschenschafter, das L sei zu viel, das L sei ein linkes Vorurteils-L. Wer Gemälde von George Grosz mag, ist übrigens in diesem Bierzelt wunderbar aufgehoben zwischen all diesen schweinsäugigen, dicken Kindern schweinsäugiger, dicker Eltern vom Starnberger See. Oft bekommt man zu hören, dass diese Burschenschaften und Corps gar nicht so rechts und gestrig seien, wie man immer denkt, es gebe sogar Ausländer, die da mitmachen. In der Tat fällt auf, dass diese reichen Münchner Arschlöcher am liebsten die Frisur von Michel Friedman tragen. Aber besser wird dadurch auch nichts, wenn sie dort nun also nicht mit ausrasierten Nacken wie die Hamburger Arschlöcher, oder mit Mittelscheitel wie die Rhein-Main-Arschlöcher, sondern eben mit speckig zurückgegelten Haaren in ihren rechten Ecken hocken und die Netze für die Wirtschaft von morgen knüpfen, wobei sie mit ihren tief ins Hüftfett schneidenden Schärpen aussehen wie von Araki eingeschnürt. Unter dem Einfluss der ersten zwei Maßkrüge frage ich mich beim Oktoberfest-Anstich jedes Mal, warum eigentlich niemand mal hingeht, den Anzapfhammer nimmt und so einem Burschen in sein Bierfassgesicht haut; aber ein paar Maßkrüge später ist mir das dann meistens auch fast wieder egal.

So viel zu meinen klassenkämpferischen Impulsen.

Und dort bei der Arbeit in Hamburg verknüpften die sich noch dazu mit ganz materiellen Sorgen um die Sachwerte auf meinem Tablett, um meine offenen Rechnungen, um meinen Verdienst. Deshalb und ganz speziell für diesen Laden und die degenerierten Reederssöhne hatte ich mir in einem Doc-Martens-Laden ein paar sehr schöne Brogues gekauft, und zwar solche mit Stahlkappen unter den Lochornamenten.

Der »Doc Martens Beat«, hier kommen die Böhsen Onkelz wieder ins Spiel, »ist der Klang einer Stahlkappe«, die gar nicht mal unbedingt jemanden »in die Fresse« treffen muss, das

Schienbein tut es nämlich auch. Seit ich Stahlkappen in meinen Schuhen trug, hatte ich noch nie so viel und so gute damit zugetreten wie in diesen Nächten, wenn ich mir und meinem Tablett den Weg von besoffenen Seriendarstellern, Millionärskindern und Medienlemuren freirempeln musste. Diese Leute fanden es unterhaltsam, sich mit Udo Jürgens in kleinbürgerliche Ausbruchsphantasien hineinzugrölen: »Ich war noch niemals in New York.« Der Wahrheit näher gekommen wäre: »Ich war noch niemals in Neubrandenburg.« Und statt: »Ich war noch niemals auf Hawaii.« hätte es heißen müssen: »Ich war noch niemals nicht dabei.«

Mir hatte es zuerst Leid getan, den Leuten Schmerz zufügen zu müssen, aber erstens spüren Betrunkene keinen Schmerz, und zweitens – waren sie nach ein paar gezielten Tritten oft noch wesentlich großzügiger mit dem Trinkgeld.

Irgendwann war ich überzeugt, dass sich der Gewinn noch erheblich steigern ließe, wenn ich mit Schlagringen oder Baseballschlägern zur Arbeit erscheinen würde. Jeder rüstete dort auf seine Weise auf. K., eine von der Natur sehr wohlwollend bedachte Kollegin, schüttelte jedesmal, wenn sie im Personalbereich die Sektkühler auswechseln ging, eine Hand voll Visitenkarten aus ihrem zum Einwurf solcher Karten in der Tat sehr animierenden Dekolleté in den Mülleimer. Sie war dann sauer, dass nie ein Geldschein dabei war und schimpfte in unflätiger Weise über die lüsternen alten Säcke da draußen, trotzdem verließ K. den Personalbereich nie, ohne vorher wieder ihren Ausschnitt als Erntekorb zurechtzuzwiebeln.

Weil das hier so ziemlich die einzige Stelle in diesem Buch ist, die halbwegs als Rahmen für den Glamour von Prominenz taugt, möchte ich nicht unerwähnt lassen, dass eines Nachts einmal ein ehemals namhafter Deutschrocker in diese rückwärtigen Wirtschaftsräume geschoben wurde, weil irgendjemand ein privates Foto mit ihm haben wollte. Der ehemalige Rockstar wirkte seltsam steif und willenlos und ließ sich herumbugsieren wie eine Holzskulptur von Stephan Balkenhol oder wie ein Plastinat aus der Ausstellung »Körperwelten«. Der Mann war einmal eine sehr agile und sogar halbwegs kluge Berühmtheit gewesen, aber das Bild, das er dort nun bot, wirkte so traurig, dass man sofort seine Platten in einen Kochtopf stecken und ihm den Brei dann über den Kopf gießen wollte, damit er wieder aufwacht. Ein noch traurigeres Bild bot eigentlich nur der Verantwortliche für die Musik von Modern Talking, als diese bei seinem Erscheinen in dem Nachtklub augenblicklich aus den Lautsprechern zu suppen begann. Der Komponist stand mit gequältem Gesicht vor einer ältlichen Frau, die bei mir Sekt auf Eis bestellt hatte. Sie sprach unsicher auf den Popstar ein, während ich auf das Geld wartete. Sie stellte Fragen wie eine sehr unvorbereitete Fernsehmoderatorin. »Beim Ausgehen die eigene Musik zu hören – ist das nicht …«, die Frau geriet ins Stocken »die eigene Musik zu hören zu bekommen … ist das nicht …«, stammelte sie, und er schaute geduldig in ihr nach dem richtigen Wort suchendes Gesicht, er nahm sich Zeit, hätte ich nicht gedacht, war ja auch nur meine Zeit, und hinter der aufwändigen Frisur dieser Frau hörte man ihren gesamten Wortschatz in alphabetischer Reihenfolge durch den knallroten Schädel rasseln, und nichts wollte einrasten, bis ganz zum Schluss nur noch eines übrig blieb: »… ist das nicht … zynisch?«

Unwahrscheinlich, dass die Frau irgendwo in seinen Memoiren auftaucht. Aber wenn ich es nicht genau wüsste, fände ich es auch sehr unwahrscheinlich, dass der, wie es heißt, erfolgreichste Popkomponist der Welt nicht in New York, sondern in Hamburg wohnt, noch nicht mal das: in einem Kaff vor Hamburg; und dass er abends in türkisen Kellern seiner eigenen Musik zuhört und sich dabei von Frauen voll faseln lässt, die fast schon genauso alt sind wie er selber.

Dass es am oberen Ende der sozialen Skala nicht weniger deprimierend zugeht als da, wo man selber herumkrebst, das bringt einen schnell in Gefahr, etwas melancholisch zu werden. Und solche Schwächen darf man sich keinesfalls erlauben, wenn man die menschenverachtende Haltung eines DDR-Kellners durchhalten will, noch dazu gegenüber Leuten, denen man im Dunklen eher nicht begegnen möchte. Es kostet nämlich durchaus Überwindung einem permanent von etwa zwanzig halbnackten Mädchen umlagerten »Geschäftsmann«, von dem man nicht viel mehr weiß und auch lieber nicht wissen will, als dass er Albaner und in kürzester Zeit zu unermesslichen Reichtümern gekommen ist, ein beherztes »Ham wa nich« entgegenzubrüllen, wenn er einen Kaffee wünscht. Es lohnt sich aber. Andere beruflich sehr erfolgreiche Männer gehen zu einer Domina; dieser hier zog es vor, stundenlang erfolglos um Kaffee zu betteln und horrende Vorschüsse dafür zu bezahlen. Aber aus meinem Mund sprachen unerbittlich vierzig Jahre DDR-Gastronomie: »Ham wa nich«. Zum Schluss, in einem Anflug von Milde, erklärte ich es ihm: »Wir haben hier keinen Kaffee. Ich müsste in ein anderes Lokal gehen, um welchen zu besorgen. Das kostet viel Zeit. In dieser Zeit verdiene ich kein Geld. Das kann ich mir nicht leisten.«

»Doch«, sagte der Albaner, »das kannst du.« Und es klang so, als sei es klüger, ihm das auch zu glauben – und in der Kantine des Hotels, in dessen Kellern der Nachtklub lag, mal eben drei dünne Strahlen Filterkaffee für 2,50 DM aus der Thermoskanne in eine Tasse zu drücken, die dem Albaner dann, einschließlich der bereits geleisteten Bestechungsgelder, rund 250 Mark wert war.

Als die Geschäftsleitung später diesen Engpass entdeckt und eine voluminöse italienische Kaffeemaschine angeschafft hatte, war die Tasse schon für lumpige zehn oder zwölf Mark zu haben.

Kein Wunder, dass das Etablissement kurz darauf einging.

Die Bückwaren-Wirtschaft des Sozialismus war am Ende nicht nur der Kapitalismus mit den größeren Gewinnspannen, sondern auch der mit den verlockenderen Glücksversprechen.

Stilfragen

Assimilation ist leider unmöglich. Dazu muss man sich die fremde Kultur nämlich genauer ansehen, und das tut dieser Kultur meistens nicht besonders gut. Man kann nicht Westdeutscher werden. Man kann höchstens westdeutscher werden als die Westdeutschen. Eine Karikatur von ihnen. Vielen Ostdeutschen ist das eindeutig gelungen. Aber wenn etwas keiner Karikatur bedarf, weil es selber schon komisch genug ist, dann sind das ganz bestimmt die Umgangsformen und das Prestigegebaren im Westen. Wie fremd man wirklich ist, merkt man oft erst, wenn man ernsthaft versucht, sich anzupassen – und zwar in den kurzen Momenten, in denen man sich fragt: woran eigentlich? Und lohnt sich das überhaupt?

Was tut man zum Beispiel mit einer Hand, die man jemandem hinhält, der sie aber nicht schütteln will? Man kann gar nichts tun, man kann sie nur da an der frischen Luft abfaulen lassen wie ein welkes Salatblatt. Die ins Leere gelaufene Geste lässt sich mit nichts kaschieren. Sicherlich könnte man versuchen, sie zu einem Zeigegestus umzumodeln, wenn man spontan etwas Sinnvolles zum Draufzeigen findet. Aber trotzdem wird das Gegenüber unweigerlich denken: Aha, ein Ostler, der mir hier mit seinem altmodischen Kollektivgekumpel kommt und wie ein Opa, der von den modernen Sitten noch nichts gehört hat, die Hand hinhält, wie eklig, ich fasse doch keine fremden Hände an, wer weiß in welchen menschlichen Abgründen die schon herumgewühlt haben.

Wer das erste Mal derart beschämt und sofort für alle bloßgestellt mit erhobener Hand stehen gelassen wird, beschließt augenblicklich: Beim nächsten Mal habe ich die Hand nicht umsonst hoch gehoben – beim nächsten Mal schlage ich auch zu, und zwar genau dahin, wo das Gegenüber die Küsschen erwartet. Links, rechts, und – ist in Frankreich nicht dreimal üblich? – noch mal links.

Was die Hygiene betrifft: Ich wasche meine Hände gelegentlich, an ihnen klebt in der Regel weniger als an den Wangen, die einem im Laufe eines Abends so zum Küssen hingehalten werden. Warum soll ich mir fremdes Rouge, Rasierwasser und Aknepuder an die Backe schmieren?

Was das Kulturelle betrifft: Wo das Handschütteln als überkommene, kleinbürgerlich preußische Konvention abgelehnt wird, da wäre es wünschenswert, wenn stattdessen mal eine halbwegs verlässliche neue Konvention etabliert worden wäre. Man muss sich im persönlichen Umgang mit anderen Menschen ja nicht unbedingt den ganzen Tag mit der Frage aufhalten, wie grüße ich den oder die jetzt richtig?

Eine ausufernde Begrüßung erspart zwar erst einmal die Unterhaltung, und dafür scheinen besonders in Hamburg auffällig viele Leute sehr dankbar zu sein: Die treffen sich zufällig und rufen in aufsteigenden Tonfolgen erst »Hi«, und dann umarmen und küssen sie sich lange, und dann schauen sie sich erwartungsfroh an und sagen »Naaaaa?«, bis ihnen die Puste ausgeht – und mit der Puste leider meistens auch schon der Gesprächsstoff. Weil es aber zumindest theoretisch vorkommen könnte, dass man sich auch mal ein paar Worte mehr zu sagen hat, wäre eine Abkürzung des Grußzeremoniells durch Formalisierung mitunter wünschenswert. Man könnte zum Beispiel endlich einmal festlegen, wie viele von den affektierten Küsschen auf wie viele Wangen nötig sind, bevor man wieder normal miteinander reden darf, und ob und wie sehr man sich dabei nun berühren darf oder muss, ohne dass der oder die andere das als zu distanziert oder zu distanzlos empfindet. Schön wäre auch ein tanzstundenhaftes Regelwerk, das einem sagt, bei wem ein Kuss, bei wem hingegen eine ausgestreckte Hand angemessen ist. Das würde den Leuten ersparen, wie Hampelmännchen abwechselnd den Oberkörper oder das Pfötchen vorzucken zu lassen aus lauter Ratlosigkeit.

Auf den bangen Erwartungen, was das Gegenüber wohl machen wird, basiert das regional als »Schnickschnackschnuck« bekannte Kinderspiel, bei dem man mit der Hand entweder einen Stein, eine Schere, einen Brunnen oder ein Blatt Papier bilden muss. Befremdlich ist, dass ausgerechnet betont abgeklärte, um nicht zu sagen »coole« junge Männer so gerne dieses Kinderspiel aufführen, wenn sie sich begrüßen. Man steht ja ungern als Flasche da, aber bei allen Versuchen, einem coolen Jungen cool die Hand zu geben, kann man sich beinahe sicher sein, dass er mit seiner Hand eine noch coolere Choreografie aufführt und einen trotzdem wie eine Flasche dastehen lässt. Das einzig Gute daran ist, dass einem das wenigstens die unter Männern oft unnötig gewalttätige Umarmung erspart. Lange habe ich mit dem Gedanken gespielt, ein ärztliches Attest vor mir herzutragen, das mich wie bei einer Musterung von derartigen Begrüßungen befreit: »Wegen schweren Wirbelsäulenleidens müssen Umarmungen mit Männern, die ihre Heterosexualität durch heftige Schläge auf den Rücken unter Beweis stellen zu müssen glauben, leider unterbleiben.«

Wenn nun in der *Frankfurter Allgemeinen Sonntagszeitung* vom 28. 9. 2003 der altmodische Händedruck als der »Grüne Pfeil unter den Gesten« bezeichnet wird, als »eine Ost-Spezialität, die gesamtdeutsche Karriere macht«, dann ist das unter den vielen wiederkehrenden Dingen des Osten ausnahmsweise mal eine sehr sinnvolle, weil sie die Umgangsformen vereinfacht, ohne sie gleich plumper zu machen. Denn der Händedruck ist auch nicht gerade unterkomplex in seinen Deutungsmöglichkeiten. Zwischen dem Gefühl, in einen Schraubstock geraten zu sein, und dem Gefühl, in ein nasses Stück Weißbrot hineinzugreifen, liegt eine ganze ins Taktile zu übersetzende Skala des Zwischenmenschlichen. Ein und dieselbe Geste kann wie auf dem SED-Parteiabzeichen ein Versprechen oder eine Übereinkunft mit Handschlag besiegeln und gleichzeitig den Akt des Über-den-Tisch-Ziehens darstellen. Sie kann Willkommen bedeuten und zugleich Abschied implizieren. Wenn ein Mann die Hand einer Frau ergreift, kann das bedeuten, dass er in allen Ehren um diese Hand anhält, ein seriöses Eheversprechen also. Aber wenn er das einer Südamerikanerin gegenüber auf eine ungeschickt abrutschende Art und Weise tut, dann kann er sich von ihr unter Umständen auch eine Ohrfeige einhandeln: Denn das Herumtätscheln auf der Handinnenseite wird in Südamerika gelegentlich als dezenter Hinweis verstanden, mit jemandem augenblicklich ins Bett zu wollen.

Was auch immer man meint und will, die Sache selbst bleibt dabei ganz simpel. Insofern ist das Handgeben vielleicht weniger der Grüne Pfeil als die Kalaschnikow unter den Gesten: Sie funktioniert ganz einfach, unter allen Bedingungen und für fast jeden Zweck. Und sie ist beim besten Willen nicht mehr aus der Welt zu kriegen.

━━ ◆ ━━

»Hosen runter«, sagte die Freundin.

»Das geht leider nicht«, erwiderte ich, »ich trage Schnürstiefel, zehn Loch hoch, teuer bezahlt und unter großen Schmerzen eingetragen – wenn ich meine Hosen runterkremple, dann sieht man sie nicht mehr.«

»Genau darum geht es«, sagte darauf wiederum sie.

Zuerst wollte ich revoltieren, denn das Verstecken der Springerstiefel kam mir vor wie ein erster Schritt zum Halbschuh, ein gefährlicher Weg, der irgendwann zum Hausschuh und am Ende nicht nur in, sondern auch unter den Pantoffel führen würde.

Was gemeint war, begriff ich erst anhand der Anfang der

neunziger Jahre noch sehr populären Cowboystiefel, deren oft sehr aufwändig geschmückte Schäfte ebenfalls unter Hosenbeinen versteckt wurden. Trotzdem erkennt man die Träger von Cowboystiefeln schon von weitem. Es fällt schließlich auf, wenn es Männer sind, die mit abgebrochenen Absätzen herumstaksen.

Dass Mode an den Füßen beginnt und dass man Westdeutsche zuerst an den Schuhen erkennt, das hatte ich zu diesem Zeitpunkt bereits begriffen. Zu lernen galt es jetzt in einer zweiten Lektion, dass die teuren und für den Status so wichtigen Schuhe nicht plump zur Schau gestellt werden dürfen, sondern diskret verborgen werden wollen.

Dabei war es schon mit den sichtbaren Kleidungsstücken kompliziert genug. Bei meinem ersten Versuch, im Westen eine Jeans zu kaufen, hatte ich mich augenblicklich zurückgesehnt in die Zeiten, als man von westdeutschen Verwandten allenfalls mal eine abgelegte Jeans zum Auftragen geschickt bekommen hatte. Da stand man vor der Wahl, sie anzuziehen oder es bleiben zu lassen. Aber man stand nicht vor einer augenrollenden Jeansverkäuferin, die allen Ernstes von »dreckiger Waschung« redet.

Verwirrend genug, dass man das Vorzeigbare verstecken muss. Noch verwirrender, dass auch das Versteckte vorzeigbar zu sein hat. Ich rede vom so genannten Schlüpfer, den Ahnungslose wie ich aus dem vormodernen Dunkel der DDR an ihren Hüften in die Einheit mitgeschleppt hatten, als sei nichts dabei. Nie wäre ich auf die Idee gekommen, mir aus dem Westen Socken und Unterhosen schicken zu lassen. Alles andere wahnsinnig gerne, aber das nun nicht. Rausgeschmissenes Geld, sieht ja keiner, dachte ich. Und dann sieht es aber doch jemand. »Ich bin Punkrocker«, versucht man sich rauszureden, »ich will hässlich aussehen.«

»Und ich bin deine Freundin«, bekommt man dann aber zu hören und geht eben doch los und kauft sich amerikanische

Boxershorts, um auch die schon einen Tag später wieder weg-zuschmeißen. Denn diese flattrigen Dinger sind vielleicht unter den vorzugsweise beigen kurzen Hosen zu gebrauchen, die von amerikanischen Touristen so befremdlich gerne durch Europas Altstädte getragen werden. Aber wenn man eine Jeans mit dreckiger Waschung darüber zieht, dann rollen sie sich hoch, und man sieht aus, als trüge man eine Windel oder ein Bruchband, also sehr kindisch oder sehr gebrechlich und kei-nesfalls im erwünschten Maße viril. Inzwischen wird übrigens dort, wo früher die inkriminierten Ost-Schlüpfer herkamen, »freche« Unterwäsche der Marke Bruno Banani produziert. Die Chemnitzer Firma gilt als ostdeutscher Vorzeigebetrieb, weil die Unterwäsche in sehr vielen Ländern ein großer Er-folg ist. Fernsehberichte über die Firma wirken oft bewusst ulkig, weil die internationalen Models in ihren Stringtangas ein bisschen im Kontrast stehen zu den Näherinnen, von denen anzunehmen ist, dass sie selber fleischfarbene Buxen von zelt-artigen Ausmaßen tragen.

Wenn die Waschung der Jeans nun einmal dreckig zu sein hat, dann ist es – eine weitere Erfahrung – umso wichtiger, dass die Wäsche darunter nicht nur sauber ist, sondern dass man auch lesen kann, was draufsteht. Ein Junge, auf dessen heraus-schauendem Unterhosenrand »Calvin Klein« steht, ist modisch auf der sicheren Seite. Ein Zürcher Protestant, der sich »Cal-vin ist Groß« aufs T-Shirt schreibt, hingegen eher nicht.

Wenn Kleidungsstücke zum Schriftträger werden, muss man das nämlich auch erst mal richtig zu lesen lernen. Die Beschrif-tung der Menschen bietet im Allgemeinen immer dann viel Anlass zu humorigen Betrachtungen, wenn auf Jacken und Rucksäcken von »Action« oder »Power« die Rede ist. Leere Worte sind das, um die sich die Leute, die so was tragen, in der Regel einen Dreck scheren. Aber stilbewusste Modernis-ten haben traditionell Aversionen gegen vulgäre Sprachorna-mente; sie lieben es, diese Dinge böswillig beim Wortsinn zu nehmen. Und in der Tat lassen die Menschen in solcherart beschrifteten Jacken häufig eher an Soziala̋mter denken als an »Action«, »Power« oder gar »Malibu Beach Surf Fun«.

Diese Schriftgläubigkeit kannte ich sonst nur von den Sicherheitsorganen in der DDR, wenn sich ein armer Rocker den Namen der Gruppe »Kiss« im Originalschriftzug auf die Kutte gemalt hatte. Es hatte dort auch Punks gegeben, die es derart leid waren, täglich ihre Parolen von der Lederjacke runterkratzen zu müssen, dass sie zum Schluss nur noch Abkürzungen drauf schrieben. Typisch DDR, hatte ich gedacht. Von wegen.

Deshalb ging ein guter Teil meiner stilistischen Selbsterziehung im Westen erst einmal für anstrengende Dechiffrierübungen drauf. Die T-Shirts des englischen Boxsport-Ausstatters Lonsdale seien bei Neonazis beliebt, lernte ich, weil die Buchstabenkombination NSDA in der Mitte des Namens vorkommt, also in dem Teil, den eine geöffnete Jacke von dem T-Shirt sichtbar lässt – und dann sieht es so aus, als stünde da NSDAP. So weit, so unerfreulich. Aber was sagen einem dann diejenigen Leute, die groß und weiß die Buchstaben HH auf den Winterjacken des norwegischen Ölzeug-Erfinders Helly Hansen durch Hamburg tragen? Dass wir in der Hansestadt Hamburg sind? Oder Heil Hitler?

Gerade was Ölzeug und Hamburger Statusklamotten betrifft, hatte ich nämlich eigentlich eben erst etwas ganz anderes gelernt.

Hanseaten, die sich wirklich etwas auf ihre Stadt und ihren Regen einbilden, tragen bekanntlich schottische Schäferjacken der Marke Barbour. Es hat viel Zeit und Rechercheaufwand gekostet, um herauszubekommen, dass diese grünen Jacken als großes sozialpolitisches Nein zum gelben Ostfriesennerz zu verstehen waren. Dabei hatte genau der bis dahin mein Bild des Westdeutschen an sich entscheidend geprägt: Menschen, die nicht nur Bananen hatten, sondern auch so aussahen.

Aber diese gelben Regenmäntel, erfuhr ich, waren in Wahrheit Rettungsbojen zum Anziehen, um die drohenden Sint-fluten, das Waldsterben, die Atomapokalypsen zu überstehen. Heute weiß ich, dass es die Grünen waren, die immer Gelb trugen, denn Schwarze und vermögende Rote tragen Grün. Inzwischen habe auch ich begriffen, dass Leute, die Barbour-jacken durch die Hamburger Elbvororte tragen, dort nicht als Gärtner angestellt sind, wie ich zuerst immer annahm, sondern eher Gärtner anstellen.

Das Schlimme an solchen ästhetischen Feldforschungen ist, dass sie so viel Zeit kosten und am Ende so wenig Erfreuliches zu Tage fördern. Man kann die Senioren nur beneiden, die sich ein für alle Mal auf ein ins Graue spielendes Beige festge-legt haben, denn ihr Leben war ja schon abwechslungsreich ge-nug. Hart ist es für die Jüngeren, die sonst nichts haben, woraus sich eine Biografie schmieden ließe. Da muss dann eben ein Kleiderschrank für das Leben und die Konflikte herhalten. Un-angenehm für die Umwelt ist das vor allem immer dann, wenn die Kinder von so genannten 68ern mit Bügelfalten gegen ihre Eltern revoltieren und deren Dinkel durch Dünkel ersetzen. Und ein bisschen bemitleidenswert sind diejenigen, die nicht ganz aus der Mode herausfallen wollen, aber zu wenig Zeit oder Lust haben, sich den ganzen Tag darüber den Kopf zu zerbrechen. Junge, halbherzig modeinteressierte Männer, die zwischen den divergierenden Leitbildern von seriöser Karri-ere und jugendlicher Lässigkeit heillos verloren gehen. Dann kommt es zu Jurastudenten in Trenchcoats, die sich bunte Rucksäcke an einem Träger über die Schulter werfen.

Ich selber habe aus Gründen der Zeitersparnis irgendwann aufgehört, mich ständig unpassend angezogen zu fühlen – und aus Überforderung den Spieß einfach umgedreht. Ich frag mich nicht mehr, was ich eventuell kaufen sollte, um es besser und richtiger zu machen, sondern, was auf gar keinen Fall in Frage kommt. Und genau dafür, für diese negative Orientie-rung, ist die Werbung endlich mal wirklich Gold wert.

Ich begrüße ausdrücklich, dass von der Werbung verführte Schulkinder auf den Schulhöfen schwächere Klassenkameraden verprügeln und ihnen die Nike-Schuhe wegnehmen. Mal davon abgesehen, dass man ohnehin nie weiß, ob man nun »Neik« oder »Neikie« sagen muss – da, wo ich herkomme, wurde man auf dem Schulhof verprügelt, wenn auf den Sachen »Deutschland« oder »Gegen Nazis« stand. Da wo ich hingegangen bin, reichte die Aufschrift »Nike«, um verdroschen zu werden. Ein Riesenfortschritt.

Nur sollten die Gewinner der Prügelei die geraubten Turnschuhe dann nicht selber anziehen und wie Trophäen herumtragen, sondern sofort wegschmeißen. Oder besser noch: verbrennen.

Nicht weil sie in Kinderarbeit hergestellt werden und dann trotzdem ein Vermögen kosten, weil noch ein ganzer Haufen von Marketingidioten bezahlt werden muss, die für das Image sorgen. Die Kinderarbeit ist beinahe noch das Sympathischste daran. Viel Ekel erregender ist der ganze Rest. Die Läden, die Verkäufer, die Käufer, die drum herumgeschwurbelte Ami-Aura. »Ein guter Schuh ist wie eine Vagina«, hat Bill Bowerman einmal gesagt, der Mann, der die Waffelsohle der Nike-Schuhe erfunden hat und dessen Konterfei einem heute wie eine Figur von Mickey Spillane aus den Tiefen der Schuhe entgegendbilt. »Ein guter Schuh ist wie eine Vagina. Von außen macht er nicht viel her, aber wenn du drin steckst, fühlst du dich wunderbar.«

Ich finde, man sollte aus Prinzip nichts von Leuten kaufen, die davon träumen, Frauen in den Unterleib zu treten oder mit Schuhen zu koitieren.

Stattdessen sollte jedem, der irgendetwas von der Firma Nike trägt, mit schweren altgriechischen Mythologie-Lexika so lange auf den Kopf geschlagen werden, bis er den Namen wieder ordnungsgemäß ausspricht und Produkte der Konkurrenz kauft, egal von welcher.

Denn in Turnzeug auf die Straße zu gehen ist prinzipiell gar nicht so verkehrt. Eine sinnvolle Einstimmung auf die Osterweiterung. Polnische und tschechische Jugendliche unterer Einkommensschichten tun das schon immer. Unter dieser – östlichen – Perspektive ließe sich vielleicht am Ende auch das Gewissen politisch feinfühlender Hipster entlasten, die einerseits gern wie auf dem Weg zum Sportunterricht verloren gegangene Schulkinder aussehen wollen, aber, weil sie aus Versehen Naomi Klein gelesen haben, unter dem Ruch der Kinderarbeit leiden: Die gefälschten Markenklamotten aus dem Osten werden, soweit ich weiß, immer noch von Erwachsenen genäht und sind viel billiger.

Diejenigen, die sich heute die teure, echte Markenkinderarbeit von Nike und all den anderen wirklich leisten könnten – die tun das meistens gar nicht. Die tragen stattdessen nämlich alle Prada. Jedenfalls kommt mir das immer mehr so vor.

Ich war schon heilfroh, als ich gegen Mitte der neunziger Jahre begriffen hatte, dass erfolgreiche Großstadtmenschen – solche, die zentnerschwere Espressomaschinen zu Hause stehen haben, tagsüber Werbeagenturen leiten und abends in Bars Single-Malt-Whiskey trinken –, dass solche Leute Jacketts von Armani oder Versace tragen. Ich hatte sogar schon versucht, mir die Unterschiede klar zu machen und auswendig zu lernen. Aber dann war das plötzlich mit einem Schlag nutzloses, veraltetes Wissen. Dann konnte man auf einmal kaum noch ein Feuilleton und kaum noch einen Debütroman entschlüsseln, wenn man nicht wusste, was Prada war und wofür es ästhetisch und weltanschaulich stand. So ganz richtig begriffen habe ich das zwar bis heute nicht. Aber immerhin habe ich inzwischen eine Art Eselsbrücke, um es wenigstens zu erkennen: Wenn nämlich Leute, die niemals in Second-Hand-Läden gehen würden, Sachen tragen, die aussehen wie aus einem Second-Hand-Laden, dann sind die mit großer Wahrscheinlichkeit von Prada.

Vielleicht verdankt sich die verblüffende Karriere dieser Marke in Deutschland auch einfach nur dem rauen Berliner Nachtleben, das oft einer tanzenden Altkleidersammlung gleicht. Da passen Prada-Trägerinnen ganz gut rein und stechen trotzdem halbwegs elegant daraus hervor, ohne gleich wie ihre eigenen reichen Tanten aus Westdeutschland zu wirken.

Ich habe im Laufe meines Berufslebens häufiger den Eindruck gehabt, ich käme gerade in die DDR zurück. Zum Beispiel wenn ich Büros von sehr, sehr weltläufigen und auf Stil bedachten Kollegen betrat, die da in ihren Jugendweiheanzügen herumzusitzen schienen, aus denen sie jetzt endgültig herausgewachsen waren. Dann schrien sie mir zwar empört entgegen, das sei alles »Gucci«, »Prada« oder »Helmut Lang«. Aber auch wenn sie zugegebenermaßen etwas eleganter aussahen, habe ich trotzdem immer an meinen Jugendweiheanzug denken müssen und schwer bereut, dass ich ihn längst weggeschmissen habe. Denn spillrig war der immerhin auch. In den ersten Westzeitschriften, die ich durchblättern durfte, hatten die männlichen Anzug-Modelle immer sehr breite, entschlossene Kinnladen und wurden von gewaltigen Stoffmassen umflattert. Meinungsführer sahen in diesen Anzeigen, Anfang der Neunziger, oft aus, als hätten sie sich in einem Segel verheddert. Das waren Anzüge, die meistens gleich zwei Knopfreihen hatten und breite Schulterpolster. Anzüge, in deren Futter das Wort »Boss« eingenäht war, was mir so vertrauenswürdig vorkam wie ein an der Haustür angebotener Sofortkredit für Existenzgründer. Es ist völlig klar, dass sich ostdeutsche Existenzgründer mit dem an der Haustür angebotenen Sofortkredit umgehend solche Anzüge gekauft hatten und dass mit den Schulterpolstern und der Masse an vernähtem Stoff auch ihr Selbstbewusstsein gewaltig wuchs. Es ist aber auch völlig klar, dass stilbewusste Besserverdiener im Westen schon aus diesem Grund sofort gegensteuern mussten. Und noch mehr Geld für entschieden weniger Stoff ausgaben. Der Minimalismus der Neunziger ist vielleicht auch dadurch befeuert worden, dass sich die Ostdeutschen so begeistert auf den ausufernden Achtziger-Jahre-Krempel des Westens gestürzt haben. Und das gilt nicht nur für die Kleidung, sondern auch für die Accessoires, die Möbel, die Häuser – für den ganzen »stuff that surrounds you«, wie die englische Zeitschrift *Wallpaper* sich ausdrückte, für die Konfektion des Menschen im erweiterten Sinne.

Dass dieser Minimalismus sehr oft genau den Dingen eigentümlich ähnelt, vor denen die Ostdeutschen weggerannt sind, macht die Sache mitunter unübersichtlich. In Architekturzeitschriften muss man manchmal zweimal hinsehen, um sagen zu können, ob da ein luxuriös asketisches Beton-Eigenheim in der Schweiz abgebildet ist oder ein ostdeutscher Plattenbau. Statusbewusste Gesprächspartner benehmen sich immer häufiger seltsam, nesteln einem am Jackett, um mal reinzusehen, schauen einem auf die Uhr, ohne die Zeit wissen zu wollen, fingern scheinbar zerstreut an fremden Sonnenbrillen herum, um bei Gelegenheit einen schnellen Blick auf die Innenseite des Bügels werfen zu können. Es ist schwer geworden, die Avantgardisten von den Zurückgebliebenen zu unterscheiden, seit die Mode ihre Schleifen immer enger um die ästhetischen Nullpunkte dreht.

Befreit von diesen Sorgen ist nur, wer die Nerven hat, die Peinlichkeit auszuhalten und tapfer zu seiner barocken Prunkfreude zu stehen.

Es gibt im Osten Deutschlands immer noch jede Menge junger Menschen, die Plateauschuhe, auskragende Trompetenhosen und glitzernde Synthetikoberteile mit digitaluhrartigen Aufschriften anziehen, die sich die Haare zu wirren Propellern zurechtföhnen und dann zu ganz altertümlichem Rumms-Bumms-Techno die eckigen, tapsenden Tanzbewegungen betrunkener Androiden aufführen. Man sieht diese eigentlich sehr faszinierenden und völlig selbstvergessenen Tänze heute nur noch im Osten. Man hört auch diese Musik eigentlich nur noch dort. Es sieht aus und hört sich an wie eine Love Parade aus den frühen neunziger Jahren. Peinlicher geht es kaum, sagen jedes Mal die, die am Rand danebenstehen und viel weniger Spaß haben, weil sie sich ständig selbst beobachten und ihre Wirkung kontrollieren müssen – und die sich in ein paar Jahren, wenn auch hierfür das Revival ansteht, wahrscheinlich selber wieder Trompetenhosen und Plateauschuhe zulegen werden.

Ein ähnliches Phänomen kann man in Hamburg am Sonntagmorgen in der U-Bahn beobachten. In Hamburg leben auffällig viele Afrikaner, vielleicht mehr als irgendwo sonst in Deutschland. Und die besonders gläubigen unter ihnen fahren sonntags in sehr festlicher Aufmachung zu Gottesdiensten, die in den deutschen Medien gern als »farbenfroh« beschrieben werden. Dabei treffen sie auf einheimische Protestanten, die man kaum als farbenfroh bezeichnen kann. Vielleicht fragt sich die eine oder andere Afrikanerin, warum sich gut verdienende deutsche Lutheranerinnen in kratzende Kartoffelsäcke hüllen und ob diese Art der Geißelung nicht vielmehr in der katholischen Volksfrömmigkeit ihren Platz haben sollte. Und vielleicht fragt sich die ganz gut verdienende deutsche Lutheranerin ebenfalls manchmal, warum sie bei Thomas-I-Punkt für ein Kleid so wahnsinnig viel Geld ausgibt, wenn sie genauso gut auch einen Kartoffelsack anziehen könnte. Ich hatte manchmal den Eindruck, dass da für Momente diese ganze modische Selbstgewissheit aus ihrer minimalistischen, farblosen Fassung zu geraten drohte, wenn diese schwarzen Familien zustiegen, die ausstaffiert waren wie Bonbonnieren. Diese ernsten Männer in ihren blütenweißen Hemdkragen, ihren makellos sitzenden Krawatten und ihren gusseisern steifen Anzügen wirkten dann wie eine einzige Anklage an die Leute, für die sie werktags in Restaurantküchen schufteten und auf die sie sonntags herabschauten wie auf kleine graue Maden. Und wenn diese Understatement-Hanseaten zurückschauten, dann schienen sie mir mitunter ein bisschen Sklavenhalterpanik im Blick zu haben, weil sie vorübergehend nicht mehr genau wussten, ob sie wirklich noch über den Dingen standen, über dem Horror Vacui der Dritten Welt, über dem billigen Prunk, über diesen Farben und dieser guten Laune, die sie niemals, das wussten sie ganz genau, niemals ähnlich selbstbewusst würden tragen können, ohne sehr, sehr albern auszusehen.

Weil aber zumindest weiße Männer traditionell ganz gut beraten sind, sich hin und wieder verstohlen etwas von den Schwarzen abzugucken, hätte ich hier noch einen Kompromissvorschlag: das Outfit eines Skinheads. Das klingt zwar möglicherweise zunächst wie eine sehr kühne These, besonders angesichts des gewalttätigen Verhaltens vieler degenerierter Skins gerade gegenüber Schwarzen. Aber da die Ursprünge dieser Mode nun einmal in der Verschwisterung von englischer Arbeiterattitüde mit der ziselierten Eleganz farbiger Rudeboys aus der Karibik liegen, soll hier auch nicht von indiskutablen Neonazis die Rede sein, sondern von stilbewussten Skinheads der klassischen Bauart mit ihren knappen Anzügen, kurzkragigen Hemden und tausend winzigen Manierismen. Wenn nämlich die Erfahrung aus den vergangenen 15 Jahren überhaupt etwas lehrt, dann vor allem, dass es die eklektischste Epoche der Weltgeschichte gewesen sein dürfte: eine Zeit, in der fast alle Grenzen zwischen den Milieus, den Kulturen und den Subkulturen zerbröselt sind und in der zuletzt auch Anlageberater in ihrer Freizeit gern so gefährlich aussehen wollten wie die Punks, die ihrerseits nach dem Betteln in der Fußgängerzone geduscht bei den Eltern zum Abendbrot antanzen müssen. Und wenn die Erfahrung noch etwas lehrt, dann, dass es ein latentes Bedürfnis nach einer modischen Allzweckwaffe geben muss, nach einer Kleidung, die gleichermaßen anständig wie bedrohlich, zivil und militärisch, schlicht und trotzdem distinguiert ist. Und daraus wiederum folgt, dass in Deutschland heute eigentlich niemand in allen Lebenslagen so passend angezogen ist wie ausgerechnet ein Skinhead. Skinheads beziehen zwar einen nicht unbeträchtlichen Teil ihres Stolzes aus der Annahme, zwischen den Vereinnahmungsversuchen von Rechts und der Empörung von Links die einzige authentische und nicht kommerziell ausgebeutete Jugendkultur geblieben zu sein. Aber genau von dieser Annahme können sie sich nach Lage der Dinge langsam mal verabschieden. Und eigentlich sind sie noch nicht mal mehr eine Jugendkultur: weil es kaum etwas gibt, was auf Haarausfall und Karriere besser vorbereitet als der kahl geschorene Kopf. Es gibt Skinheads, die sich nach bewegten Jugendjahren im Ben-Sherman-Hemd einfach einen schwarzen Rollkragenpullover überstreifen und in eine Werbeagentur eintreten. Schon passt es wieder.

Das ganze verpönte Outfit ist ohnehin längst auf dem Weg der politischen Entschärfung und Verweichlichung. Auf den Sohlen von Doc-Martens-Stiefeln steht bereits seit geraumer Zeit nicht mehr »Safety Footwear«. Jetzt steht da »Non Safety Footwear«. Aber nicht weil die Stahlkappen so häufig die Sicherheit anderer Leute gefährdet hätten, sondern weil die Schuhe nicht ganz der europäischen ISO-Norm für Arbeitskleidung entsprechen. Wozu auch. Wer von denen, die sie tragen, ist heute schon noch Arbeiter? Wenn wieder einmal jemand versucht, Springerstiefel auf Schulhöfen zu verbieten, wird er vielleicht sogar aufpassen müssen, dass er nicht Ärger mit Schwulenverbänden bekommt. Typische Skinheadkleidung, die früher nur im Versandhandel oder in verstecken kleinen Szeneläden zu haben war, hängt heute in aufgedonnerten Flagshipstores in Berlin-Mitte herum. Man kann mittlerweile türkische Schuljungs mit Pullovern der Marken Pit Bull Germany und Hooligan herumlaufen sehen. Und als kürzlich sogar ein Kollege, der ein sehr modebewusster und eleganter Mensch ist, von mir wissen wollte, wo er eine Harrington-Jacke erwerben könne, habe ich eilig behauptet, die gebe es nur in ganz üblen Läden mit gewalttätigen, tätowierten Verkäufern, wo allenfalls vielleicht ich, aber niemals er lebend wieder herauskäme – Harringtons kosten ja nur rund 50 Euro, und er zieht nichts an, was nicht wenigstens 500 gekostet hat. Es sind also richtig erquickliche Geschäfte drin, wenn jetzt schon Leute wie er solche Klamotten haben wollen.

Wenn das so weitergeht, könnte es am Ende sogar passieren, dass die ideologisch verbockten Schlägertypen aus den »national befreiten Zonen« des Ostens auf einmal in die modische Mitte der Gesellschaft genommen und dort allmählich kleingekocht werden. Und der kleine anrüchige Rest von Gewalttätigkeit, der dadurch aus diesen Sachen immer weiter herausgewaschen wird, der ist vielen sogar das meiste Geld an der Sache wert. Es gibt ja sonst kaum noch etwas, womit Deutschlands tolerante Bedenkenträger erschreckt werden können. Wegen weißer Schnürsenkel hat jedenfalls schon lange niemand mehr die Polizei gerufen. Und wegen Beschriftungen in Fraktur auch nicht.

Frakturbuchstaben sind die weißen Schnürsenkel der Typografie. Sie sind semantisch hoffnungslos überladen, und wo immer sie jemand als nazimäßig bezeichnet, muss man nicht lange warten, bis jemand anderer einwendet, gerade die Nazis hätten Frakturschrift lange genug als »Schwabacher Judenletter« verunglimpft.

Besonderer Argwohn trifft gewöhnlich die Frakturschrift im Kopf und über den Leitartikeln der *Frankfurter Allgemeinen Zeitung*. Weniger Argwohn trifft die Frakturschrift dort, wo sie in Wirklichkeit viel häufiger zu finden ist: auf den Ladenschildern von soeben eröffneten Bäckereien und Schlossereien. Sie ist sogar schon an so ungotischen Gewerken wie Heizungs- und Sanitärgeschäften gesehen worden, und an Computerläden auch. Dieses Phänomen ist besonders häufig in den neuen Bundesländern zu beobachten. Es handelt sich dabei um eine sehr grobe und sehr breite Frakturschrift, die das korrekte

Schluss-S nicht kennt und der man vielleicht am ehesten gerecht wird, wenn man sie als Geschäftsgründungskompensations-Fraktur begreift, als ein Versuch, den ersten unsicheren geschäftlichen Schritten in schweren Zeiten einen Nimbus jahrhundertelanger handwerklicher Tradition und Erfahrung zu verleihen. Obwohl man sich gerade bei Bäckereien hinsichtlich der Frische des Produktes vielleicht auch ein anderes Signal vorstellen könnte als eine Schrifttype, die ans Mittelalter gemahnt.

Jedenfalls ist bemerkenswert, dass die Frakturschrift mit ihrem auf eine unbestimmte Vergangenheit verweisenden Gestus gerade im großen Sektor des deutschen Handwerks im Allgemeinen weniger als bedrohlich und ewig gestrig wahrgenommen wird als zum Beispiel bei Tätowierungen. Bemerkenswert ist das deshalb, weil der Handwerker seine privatwirtschaftlichen Überlebenskämpfe inmitten der üblen Globalisierungsstürme ja tatsächlich atmosphärisch irgendwie an die Meistersinger von Nürnberg zurückzubinden versucht, während der Tätowierte meist nur die Einfallslosigkeit seiner Botschaft im Serifengewirr der Fraktur kaschiert. Wer auf seiner Haut wirklich etwas zum Ausdruck bringen will, endgültige Bekenntnisse wie zum Beispiel »I love Sylvia«, der tut das traditionell nicht nur immer noch am besten im Knast mit Stricknadel und Tinte, sondern praktischerweise auch in einer leichter lesbaren Schrift.

Was soll man sich auch tätowieren lassen, wenn man nichts zu sagen, keine Meinung, keine Haltung hat, sondern nur Lust, ein bisschen romantische Härte auszustrahlen. Im Zuge der Massentätowierung der Deutschen während der neunziger Jahre haben sich so genannte Tribals durchgesetzt, eine gewissermaßen endgültig ins Nonverbale, Abstrakte, Ornamentale aufgelöste Frakturschrift.

Seither werden damit alle jungen Frauen, deren Gehalt unterhalb der Aufnahmegrenze in eine private Krankenversicherung liegt, auf dem Steiß gekennzeichnet.

Um das Jahr 2000 herum rieselte das Ganze ein Stück weiter runter und nahm wieder Buchstabenform an. Seit etwa zwei Jahren stehen jetzt schon Unsinnigkeiten wie »Punk Royal« in Fraktur auf weißen Hintern. Die armen Mädchen sehen aus, als hätten sie sich bei großer Hitze auf eine FAZ gesetzt, die dann abgefärbt hat.

Und wenn der Blick auf den Hintern eines Mädchens an einem FAZ-Leitartikel endet, dann hat Fraktur wirklich etwas Bedrohliches.

Das gemeinsame europäische Haus hat schon nicht gehalten. Und nun wackelt auch noch der deutsch-deutsche Tisch.

So ein ostdeutscher Magen war nämlich gar nicht vorbereitet für den Westen. Oft endete der Abend im Lokal unter den neuen Bedingungen im Krankenhaus. Denn fast noch schneller als die Chinarestaurants kam das Chinarestaurant-Syndrom. Viele Leute vertrugen das ungewohnte Glutamat in den schmackhaften dunklen Soßen nicht und bekamen Ausschlag davon. Und dann das Weizenbier. Der ostdeutsche Pilstrinker war nicht eingerichtet auf diese Mengen an Kohlensäure, auf die flockigere Hefe, die viel hysterischeren Gärgase: ein untrainierter Darm wurde da schnell verhaltensauffällig.

Die physiologischen Konflikte ließen sich jedoch leichter in den Griff bekommen als die kulturellen. Der wahre Ort der gesellschaftlichen Auseinandersetzung ist in Deutschland nämlich nicht der runde Tisch, sondern der gedeckte. Essen müssen wirklich alle, das ist definitiv der kleinste gemeinsame Nenner. Und wie sehr sich so ein Esstisch zum symbolischen Feld eignet, auf dem sich Weltanschauung mit Sättigung kombinieren lässt, war zum Beispiel eindrucksvoll zu erleben, als in den Tagen der brennenden Asylbewerberheime viele Leute extra häufig zu »ihrem Italiener« gingen, um die Flammen mit Grappa zumindest symbolisch zu löschen.

Dass die Kulturkämpfe aber auch in friedlicheren Zeiten über Gläsern und Tellern toben, merkt man immer an der Inbrunst, mit der die meisten Leute ihre Ernährungsgewohnheiten vor sich hertragen. Wenn gutes Essen wirklich der »Sex des Alters« ist, dann ist das, was diese Älteren betreiben, in der Regel Pornografie: nicht der private Genuss, sondern das öffentliche Zurschaustellen. Den Aposteln des Slow Food reicht es meistens nicht, etwas Besseres als Fast Food zu sich zu nehmen. Es ist ihnen leider auch wichtig, dass die Welt Teil hat an ihrer Kennerschaft und daran ein bisschen gesundet. So entstehen dann Tatort-Kommissare wie Palü aus Saarbrücken. Deshalb ist überhaupt nichts gewonnen, wenn man zu irgendwem nach Hause eingeladen wird, denn dort geht es meistens nicht ungezwungener, sondern leider noch komplizierter zu als in Restaurants; Privatheit schützt vor Prätentionen nicht. Und das beginnt bereits in erschreckend jungen Jahren.

Einmal lud mich in Hamburg eine Kommilitonin zum Mittagessen ein, eine, die man durchaus als Tochter aus besserem Haus bezeichnen darf. Ich sagte zu, weil ich nicht wusste, dass bei einer Einladung zu »selbst gemachtem Essen« die Betonung nicht auf dem Essen, sondern auf dem Selbermachen liegt. Um die performativen Qualitäten des gemeinsamen Kochens schätzen zu können, sollte man aber vor allem eines nicht haben: Hunger.

Man muss wissen, dass solche Einladungen ganzheitliche Erlebnisse sind, vom Erwerb der Zutaten bis hin zum Abwasch. Ich wusste das nicht. Es kam zur Verstimmung deswegen, die Kommilitonin fühlte sich als Schnellrestaurant missbraucht. Geplant war nämlich vorausgehend ein gemeinsamer Einkaufsbummel über den Markt mit reiflicher Auswahl und Prüfung der Lebensmittel. Ich konnte praktisch froh sein, nicht schon bei Aussaat und Wachstum dabei sein müssen. Leider hätte ich nicht den ganzen Tag Zeit, gab ich zu bedenken und konnte immerhin durchsetzen, dass der Einkauf in einem

Supermarkt zentralisiert wurde. Gekocht werden müsse dann aber bei mir, beschied die Kommilitonin beleidigt, ihre Küche könne für derart liebloses Tun leider nicht zur Verfügung stehen. Es war alles wahnsinnig kompliziert, Ich musste an die Mensa denken, wo ich mich mittags eigentlich immer sehr gut aufgehoben fühlte. Essen 2 war Hacksteak an diesem Tag, im Land herrschte Angst vor BSE – ich hätte ohne anzustehen für 2,50 DM meine Mahlzeit gehabt und dann meiner Wege gehen können.

Denn so archaisch es ist, einen ganzen Tag mit dem Heranschaffen des Essens zu verbringen – die Urmenschen, denen man sich dabei sehr nahe fühlt, haben dafür nicht auch noch Geld bezahlt. Und man macht sich keine Vorstellung davon, was die Zutaten für einen »asiatischen Geflügeltopf« kosten, wenn man sie in einem Eppendorfer Sparmarkt zusammenkauft. Das will nämlich alles wohl bedacht sein. Reis ist nicht gleich Reis. Besser als Hühnerbrüste sind natürlich Putenfilets. Ingwer benötigt man als Sirup und dann noch einmal als Knolle. Ich hatte ja nichts zu Hause, vor allem fehlte es an Gewürzen. Den richtigen Gewürzen. Majoran, entschied die Kommilitonin, nehmen wir nur »gerebelt«.

Von der Kasse aus sah sie eine Politesse um ihr nachlässig abgestelltes Cabrio herumschleichen. »Kannst du das mal eben machen«, flötete sie und sprang hinaus, die Politesse zu besänftigen. »Natürlich…«, hatte ich angesetzt, als sie losstürmte, »…nicht«, wollte ich eigentlich fortfahren. Fast hundert Mark verlangte die Kassiererin von mir. »Was, nur hundert?«, sagte ich tapfer. »Hier haben Sie mein ganzes Geld. Herzlichen Glückwunsch.« Ich rechnete nach, wie lange ich bei seriöser Haushaltsführung ab diesem Tag nichts mehr würde essen können. Büchsenbier und Toastbrot waren damals die Dinge, die ich normalerweise an die Kasse trug. Und jetzt stand da ein Berg von Lebensmitteln vor mir, die ich zum Großteil nicht einmal benennen konnte.

»Du kennst keine Feigen? Keine Datteln?«, hieß es, als ich mich mit den Zutaten sehr dumm anstellte. Selbstverständlich kannte ich Datteln und Feigen. Aber nur aus den Märchen von Wilhelm Hauff.

Vielleicht gibt es keinen anderen Bereich, in dem einem die kulturelle Kluft derart massiv vor Augen, Nase und Gaumen gehalten wird. Ein jäher Sprung ist das, der mindestens so verstörend wirkt wie der aus einer Gemäldegalerie für Alte Meister in ein Museum der Moderne. Historienschinken heißen nicht umsonst so, wie sie heißen. Genausowenig ist es ein Wunder, dass einem von ambitionierten Köchen am liebsten luftige Kompositionen serviert werden, die in Terminologie, Ästhetik und Prestige an abstrakte Kunst erinnern. Nirgends wird so deutlich, was für einen gewaltigen Modernisierungsschritt der Osten um 1968 verpasst hat, wie auf dem kulinarischen Nebenkriegsschauplatz der damaligen Revolten. Bis zum Ende der DDR (und oft aus Trotz bis heute) herrschte als normgebend der Status quo ante. Man muss, weil die Erinnerung in diesem Bereich besonders schnell nachlässt, noch einmal das Buch »Gastronomische Entdeckungen in der DDR« von Manfred Otto hervorholen, um sich anhand der Abbildungen vor Augen zu führen, was das für ein sozialistischer Helden-Realismus war, der da auf den Tellern eklektisch zusammengepinselt wurde: rubenshafte Fleischberge, knusprige Krusten wie Stirnpartien von Rembrandt-Porträts, und alles überdeckt vom warmen Galerieton der braunen Soßen. Bis heute ist in Gaststätten, wo es noch »Mittagstisch« gibt, die Güte der Soße der wichtigste Maßstab für die Qualität – jener Soße, die von den Pionieren der Nouvelle Cuisine und des so genannten Deutschen Küchenwunders so radikal in den Abfluss gekippt wurde, als seien diese Soßen gleichbedeutend mit dem schweren Blut der Adenauer-Jahre. Parallel zum gesellschaftspolitischen Aufbruch wurde, mit ähnlichem moralischen Pathos, die Aufklärung der Teller betrieben, und zwar ganz im

Wortsinne. Mittlerweile ist es da wie beim Layout von Qualitätszeitungen: je mehr Weißraum, desto besser, moderner, eleganter, und, ja: auch teurer, obwohl am Ende weniger drauf ist.

Früher, in der Zeit der dicken Soßen, als die Haute Cuisine noch von Köchen geprägt war, die als Diener in Schlössern angefangen hatten, da wurden die Speisen gern nach berühmten Adligen benannt. Stroganoff zum Beispiel. Seit der Revolution in den Küchen tragen die Gerichte bezeichnenderweise selber Adelsnamen: Dreierlei von der Wachtel, Schaum vom Spargel. Viele Speisekarten lesen sich heute wie das Goldene Blatt.

Trotzdem ist es ein sehr emanzipatorischer Gestus, mit dem das alles daherkommt, und der liegt vor allem in dem zuerst verstörenden Moment der Reduktion, in der Ideologie der noblen Einfachheit, die einem irdischen Ballast abzunehmen verspricht und schon mal mit den Ballaststoffen anfängt.

Die Reduktion der Menge geschieht in der Regel unter der Verheißung einer Steigerung und Verfeinerung der Qualität. Nach dem ersten Schock darüber, wie viel von dem wertvollen Westgeld man ausgeben kann für wie wenig materiellen Gegenwert, dauert es noch mal eine ganze Weile, bis man begreift, dass man gar nicht das bezahlt, was auf dem Teller liegt, sondern das, was weggelassen wurde. Den Akt der Säuberung und Läuterung. Den ideellen Gegenwert. Diesen Kontext muss man mitdenken, wenn ein so genannter Edelitaliener zwischen zwei Zügen am Joint mal schnell zwanzig abgezählte Tortellini durch eine Balsamicobutter schwenkt und dafür 14 Euro haben will. Wo so etwas in Ostdeutschland passiert, sind sich die Einheimischen meistens einig, dieses Lokal sei »nur was für die Wessis«. Und ganz genauso ist das auch. Genau dies sind die Orte, die gewöhnlich von westdeutschen Leihbeamten im Osten aufgesucht werden, denen ihre neue Umgebung im Alltag zu fremd ist – um sich wenigstens an den Feierabenden wohl zu fühlen in einem vertrauten Wertekosmos. Es sind Inseln eines kulturellen Heimatgefühls, wo ein Kanon der Leere gilt: Diese so gern als »übersichtlich« verspotteten Teller der Prestige-Gastronomie entsprechen den leeren Lofts und kargen Wänden und schlichten Einrichtungsgegenständen, die im Westen als Symbol eines gehobenen und verfeinerten Lebensstils firmieren. Die Teller des Ostens sind mit Fleisch und Beilagen so voll gestopft wie die Plattenbauwohnungen mit Eichenfurniermöbeln. Die »arbeiterliche Gesellschaft«, ein Begriff des Soziologen Wolfgang Engler, aß am liebsten »gutbürgerlich« – ein bis heute unschlagbares Wort, um die kleinbürgerlichen Gelüste nach vermeintlich großbürgerlichen Standards zu beschreiben. Als das Klischeebild eines westdeutschen Unternehmers längst den asketischen Manager zeigte, der in stahlblauen Anzügen sehnig durch Glastürme eilt, aßen sich die proletarischen Kombinatsdirektoren noch den Bäuchen von Manchesterkapitalisten entgegen.

Wenn die schlanke Verwaltung auf den Tellern, die flachen Hierarchien der Zutaten und das Outsourcing der Beilagen eine Reaktion auf die Onkelhaftigkeit der traditionellen Fettwanstküche waren, dann ist die heute oft zu beobachtende Rückkehr zum Rustikalen womöglich eine Reaktion auf die leeren Versprechen der leeren Teller. Inzwischen kann es einem bei Empfängen in Berlin passieren, dass als Mitternachts-Snack-Gag und als Abwechslung von all dem asiatischen Fingerfood und den filigranen Nahrungsbonsais »Currywürstchen« gereicht werden, und seien es auch vorsichtshalber »Currywürstchen vom Hummer«.

Wenn die Beobachtung richtig ist, dass die Hausmannskost, das Erdige, kulinarisch Bodenverhaftete allmählich rehabilitiert wird, wenn sich also die Stellschraube der Stilbewussten wieder eine Spirale weiter dreht, dann liegt das mit Sicherheit daran, dass die Yuppieküche inzwischen sehr zur Parodie ihrer selbst geworden ist.

Es ist relativ unriskant, die Getränke des Abends darauf zu verwetten, dass in Restaurants mit unbequemem Gestühl der Tellerrand mit Petersilie oder Ähnlichem bepulvert sein wird. Dass in der Mitte ein Miniaturmodell dessen liegt, was man gern essen würde. Und dass der Koch drum herum einen Ring aus einer Vinaigrette gemalt hat. Kurz: das Bild eines repräsentativen Essens ist auf seinem langen Weg vom deutschtümelnden Schlachtengemälde über die Abstraktion bei einer fatalen Ähnlichkeit zu den Gemälden von Joan Miró gelandet. Und warum sollte so ein essbarer Miró als Statussymbol stilunsicherer Neureicher nicht genauso belächelt werden wie die Kunstdrucke von Miró, die das gleiche Schicksal als so genannte Zahnarztkunst schon länger ereilt hat?

Trotzdem hätte ich es an jenem Tag, als ich in dem Eppendorfer Sparmarkt die Zutaten für den »asiatischen Geflügeltopf« bezahlen musste, vorgezogen, in so ein Restaurant zu gehen, wo sie den Tellerrand bekrümeln.

Denn bei den Selberkochern fallen die kulinarischen Ambitionen oft noch tragischer und noch schneller in sich zusammen. Das Unheil verbarg sich bereits in dem Wort »Geflügeltopf«, und da wiederum in dem Begriff »Topf«. Wenn derart teure und edle Materialien nämlich zu einem indifferenten Matsch zusammengerührt werden, dann hilft die ganze Aura von Fernost-Fusion und Völkerverbindung wenig, dann kann man sie eigentlich genauso gut auch gleich ins Klo kippen. Es ist eine Beleidigung des Materials, der richtigen Köche und natürlich derer, die das dann essen sollen.

Was für mich herauskam bei der Esseneinladung, die mich ruiniert und hungrig mitsamt dem Abwasch in meiner eigenen Wohnung zurückließ, war immerhin eine überwältigende Gewürzgalerie. Besucher hoben gelegentlich erfreut die Augenbraue, wenn sie den gerebelten Majoran und das andere Gepulver in meiner Küche herumstehen sahen. Aus ihren Blicken sprach anerkennendes Wohlwollen. Junge Männer mit üppigen Gewürzregalen werden augenscheinlich mit derselben Haltlosigkeit als zukunftsfähig und seriös empfunden wie Männer mit Kindersitzen im Auto. Beides dürfte zur Grundausstattung gewissenloser Heiratsschwindler gehören.

Mir war der Eindruck eher unangenehm. Ich wollte lieber nicht zu den Leuten gehören, die »gerne kochen«. Nicht weil ich gegen die Sache an sich etwas hätte. Oder weil ich keine Leute kennen würde, die es sich nun einmal nicht leisten können, jeden Tag essen zu gehen. Es ist vielmehr wegen der Leute, die sich Restaurantbesuche sehr wohl leisten können, aber lieber für dreimal so viel Geld »zu Hause« etwas zusammenpanschen, dabei ihre Gäste noch zusehen oder sogar mitmachen lassen, und, während sie sich am Herd mit Rotwein zulaufen lassen, unappetitlich rumschmatzen, weil das Alfred Biolek auch immer so macht. Der macht das aber meistens dann, wenn er sich sichtlich vor dem Essen ekelt, das seine Fernsehgäste vor laufender Kamera zusammenpürieren. Als Blixa Bargeld von den Einstürzenden Neubauten bei Bio einmal einen Furcht einflößenden alchemistisch schwarzen Brei anrichtete, konnte man ganz deutlich sehen, dass Biolek lieber in seinem Rotweinglas ertrunken wäre, als davon zu kosten. Und so geht das den meisten Leuten, die irgendwo eingeladen werden, auch.

Wenn Besserverdiener zu Hause essen, ist das nicht nur meistens ungemütlich, sondern vor allem ist es asozial und wirtschaftsfeindlich.

Die DDR ist nicht mehr. Es gibt jetzt genügend Restaurants. Keiner wird mehr »platziert«. Kaum eine Ortschaft ist klein genug, dass es nicht mindestens ein chinesisches und ein italienisches Restaurant gäbe. Mit etwas Glück sogar ein gutes deutsches. Wer Freunde einladen will, sollte sie ins Restaurant einladen. Da können sie wenigstens selber wählen, was sie wollen. Denn das Schlimmste beim Kochen zu Hause ist, dass die Leute nie das machen, was sie können: Spaghetti, Steaks, Salat.

Sondern immer nur das, was sie gern können würden, Beeindruckungsessen: indische Curryphantasien, asiatische Improvisationen. Vielleicht sollte man das aber lieber den Leuten überlassen, die wirklich etwas davon verstehen, die damit ihr Geld verdienen und von denen es ja zum Glück ausreichend gibt in Deutschland, mittlerweile auch in den östlichen Teilen. Wenn es einen ganz eindeutigen Wendegewinner gibt, dann ist das nämlich eigentlich der Gaumen eines Ostdeutschen. Der Ostdeutsche sollte ihn deshalb, nach allem, was er durchmachen musste, nicht leichtfertig selbst gemachten Geflügelpfannen ausliefern. Es ist damit dasselbe Problem wie mit den Leuten, die sich vom Sextourismus Bongotrommeln mitbringen und in öffentlichen Parks benutzen. Das Material und die Umwelt leiden am meisten.

Ein paarmal habe ich die Gewürze bei Umzügen übrigens noch mitgenommen, aber eines Tages habe ich den ganzen Mist in den Müll geschmissen, auch den Majoran, gerebelt, wie er war.

—◆—

Es sieht ganz so aus, als drehe sich die Geschichte im Kreis, weil sie selber nicht mehr so richtig weiß, wohin mit sich. Deshalb darf man vorläufig vielleicht mal folgende These aufstellen: Vorne ist auch, wer einmal überrundet wird – und das Einzige, was die anderen ihm dann wirklich voraushaben, ist eine hängende Zunge.

Klug ist, wer nicht mit der Mode geht, sondern wartet, bis die Mode zu einem zurückkommt – wichtig ist nur, dass man dann auch erkennt, dass die Dinge nicht mehr dieselben sind wie vorher, sondern sich auf einem anderen Niveau bewegen. Sie sind nicht mehr von naiver Glätte, sondern ganz zerknittert von all den ironischen Brechungen; es ist kein unbewusstes Weitermachen, sondern eine bewusste Rückkehr aus der großen weiten Welt. Und genau dieser Qualitätssprung ist sein

Geld wert. Man hätte nur damals seine Dederonhemdchen und Präsent-20-Anzüge nicht wegschmeißen dürfen. Man darf jetzt auf keinen Fall die Boss-Anzüge mit den Schulterpolstern wegschmeißen, die man stattdessen dummerweise gekauft hat. Man muss alles gut aufheben, sonst zahlt man drauf.

Die Frage ist nämlich: Soll ich heute in einem Second-Hand-Laden fünfzig Euro hinlegen, also hundert Mark West, also rund siebenhundert Mark Ost für einen Anzug aus dem VEB Herrenmode Dresden? Mehr, als er damals gekostet hat. Nur weil er, wie ich leider erst jetzt erkenne, gar nicht so schlecht aussieht? Bin ich etwa ein Westdeutscher? Oder ist das die gerechte Strafe für Mentalitätsflüchtlinge, dass sie sich in ihre eigene Vergangenheit nun von außen gewissermaßen teuer wieder hineinkaufen müssen?

Es könnte immerhin sein, dass der Osten ein Riesenpotenzial verplempert hat, als er sich damals leichtfertig den gerade aktuellen Schrott des Westens auflud, ein Potenzial, mit dem sich die gegenwärtigen Retrowellen wie in einem Wasserkraftwerk verwerten ließen. Es könnte sein, dass sich gerade die noch unberührten Landschaften des Ostens, jene, die noch nicht zum Blühen gezwungen werden sollten, eines Tages noch mal als teure »Vintage«-Ware verkaufen ließen. Wie die stinknormalen Schnitzel, die denen, die jetzt frierend von ihren nasskalten Ausflügen in die Moraste von Tomate-Mozzarella zurückkehren, weit mehr als stinknormale Schnitzel sind, sondern Schnitzel »wie bei Muttern«, Retro-Schnitzel, kulinarische Oldtimer, deren Wertzuwachs sie gern mitbezahlen. Brandenburgs Gastwirte sollten schleunigst all den Mist wieder rausreißen, den sie während der neunziger Jahre in ihre Gaststätten gebaut haben, sie sollten sich möblieren wie früher – und von den Westdeutschen die doppelten Preise für alles verlangen. Ich kenne viele, die sie klaglos zahlen würden, wenn sie nur nicht auf fliederfarbenen Baumarktmöbeln sitzen müssten.

Und wer heute jemanden findet, der noch oder wieder bereit ist, zur Begrüßung einfach nur trocken die Hand zu schütteln, sollte ihm bei dieser Gelegenheit immer gleich ein Zwei-Euro-Stück in die nämliche drücken – aus Dankbarkeit und aus der berechtigten Furcht, dass die Begrüßungsküssereien demnächst noch in Begrüßungsbeischlaf ausarten.

Es gibt also ein paar ganz gute Anhaltspunkte dafür, dass es so etwas wie einen »Osten« der Sitten, Gebräuche und Haltungen gibt, der womöglich vielfach nur eine Projektion ist, der sich inzwischen aber vor allem für Westdeutsche als ganz hilfreich bewährt hat. Es hat etwas mit der Befreiung von pomadigen Verfeinerungszwängen zu tun.

Die Rotkäppchen-Kelterei hatte entgegen ihrer eigenen Erwartungen im Westen ausgerechnet mit halbtrockenem Sekt den durchbrechenden Erfolg, weil halbtrocken dort solange als unfein galt, bis es auf diesem Geschmackssektor überhaupt kein Angebot mehr gab.

Westberliner Rundfunkmitarbeiter haben mir erzählt, dass sie ihren zuvor verpönten und mühsam abtrainierten Dialekt dankbar wieder aufgenommen haben, als sie mit Ostberliner Kollegen zu tun bekamen, die zumindest hinter den Kulissen so sprachen, wie sie wollten; weniger intelligent sind die Gespräche dadurch nicht geworden, allenfalls vielleicht weniger steif.

Es gibt genügend Beispiele dafür, wie junge Ostdeutsche als Moderatorinnen bei Viva oder als Darsteller in Seifenopern so perfekt in die blondierte Welt des Unterhaltungs-Westens eingebaut worden sind, dass ihre eigentliche Herkunft immer wieder Überraschung hervorruft.

Im Gegenzug entdecken immer mehr Westdeutsche den Osten als ästhetisches Feld des »Authentischen« und »Ehrlichen«. Es gibt zum Beispiel eine Dresdner Zigarettenmarke, die »Cabinet« heißt. Sie ist nur in den neuen Ländern und in Berlin erhältlich. Und nur dort lief in den Kinos auch die entsprechende Werbung, deren Musik von den Westdeutschen Inga Humpe und Tommy Eckart stammte. Die Musik gefiel den Leuten, sie wurde im Radio gespielt, und aus dem Werbejob wurde eine ziemlich erfolgreiche Popkarriere, die beiden treten mittlerweile unter dem Namen »Zweiraumwohnung« auf. Und das ist ostdeutsch für Zweizimmerwohnung. Der Slogan der Zigarrettenmarke »Cabinet« lautet übrigens: »Unparfümiert«.

Parfümiert oder unparfümiert – das wurde schon kurz nach dem Abflauen der Vereinigungseuphorie zum wichtigen Kompass für viele Ostdeutsche: aufgedonnerter Tünnef oder wahre Werte. Viele waren auch misstrauisch geworden, als sie feststellten, dass die verheißungsvoll und weltläufig aufgemachte Zigarettenmarke »Golden American« weder in Amerika ein Begriff ist noch in Westdeutschland, sondern einzig und allein eine Entwicklung für rachitische Ostlungen. Inzwischen kenne ich Zuzügler aus dem Westen, die jetzt auch »Cabinet« rauchen und nicht mehr »West light«, denn wenn Rauchen schon tötet, dann wenigstens so, dass man was davon hat, dann bitte »unparfümiert«.

Als unparfümiert muss man wahrscheinlich auch die Charaktere beschreiben, die der Schauspieler Axel Prahl jetzt regelmäßig in den Filmen von Andreas Dresen spielt, die ihrerseits immer im ostdeutschen Plattenbautenmilieu spielen: als unparfümiert, ehrlich, bodenständig, gerade heraus, unverblümt und liebenswert. Axel Prahl entwickelt sich im Kino immer mehr zum ikonischen Gesicht des Nachwende-Ostlers. Sogar wenn er Tatortkommissar in Münster ist. Und eigentlich stammt Axel Prahl aus Kiel.

Aber Axel Bulthaupt, das Gesicht des MDR, kommt ja auch nicht aus dem Osten, sondern aus Melle bei Osnabrück. Und der Nachfolger von Carmen Nebel bei den vom MDR produzierten »Festen der Volksmusik« heißt Florian Silbereisen und kommt aus Bayern.

Es gibt offenbar eine Art Osten, die schon längst nichts mehr mit Herkunft zu tun hat. Und dieser stilisierte Osten ist bei Westlern inzwischen oft fast in den besseren Händen.

IT is a Zoni

Den ausgebrannten Internet-Millionären reiche ich die Hand. Die gescheiterten Existenzen der IT-Branche haben mein Mitgefühl. Die »Generation @« aus den Top Ten der »Wörter des Jahres« 1999. Ihr seid die Ossis des Wirtschaftslebens. Alle lachen über euch. Warten darauf, dass ihr eure Dachgeschosswohnungen räumt, damit wieder Leute einziehen können, die »was Gescheites« machen. Stellen Rückübertragungsansprüche auf eure Plätze an den Bars und im gesellschaftlichen Leben. Wer heute noch in Start-Up-Floskeln spricht, könnte auch gleich Sächsisch reden.

In den Seelen der Deutschen wohnen hämische Rachegelüste und die Überzeugung, dass ihr das alles ganz genau so auch verdient habt. Es ist ein sehr bürgerliches Ressentiment gegenüber den Parias der deutschen Ökonomie. Die Genugtuung über gescheiterte Utopiker, die glaubten, sie könnten aus den Zunftzwängen ausbrechen, die Ochsentour umgehen, das Glück und die Zukunft gleich jetzt und heute in die Hand nehmen.

Es gibt nur zwei in Deutschland, die in kürzester Zeit Milliardenkredite verbrannt haben. In den achtziger Jahren die DDR. In den Neunzigern ihr.

Und beides sah sogar ziemlich ähnlich aus. Auch während des Booms der New Economy wurde das Geld der altehrwürdigen Hochfinanz in Büros, Wohnungen und Clubs verpulvert, die alle eingerichtet waren wie der Palast der Republik. Es war nur nicht mehr die traditionelle Wirtschaft, die da persifliert wurde, sondern das Spekulative am Kapitalismus, aber das war vielleicht nur die notwendige Aktualisierung einer Fassade. Am besten haben mir eure Partys übrigens ab dem Zeitpunkt gefallen, wo schon alle wussten, dass nichts dahinter steckt, aber trotzdem stumpf weiter mitgemacht haben; als schon nicht mehr der »Launch« von irgendeiner unnützen Webseite gefeiert wurde, sondern der Abschied der ersten Entlassenen – wenn man so will: die Honecker-Phase der IT-Ära.

Willi Sittes »Chemiearbeiter am Tastpult« trug nun Hornbrille und saß am Laptop. Er war ein bisschen dünner, das war aber auch alles. Eure Chefs gingen zwar auch nicht mehr zur Jagd, sondern hielten sich japanische Roboterhunde als Haustier, ansonsten gaben sie sich aber volksnah und hemdsärmelig. Sie tranken Bier aus der Flasche, spielten Tischfußball, hatten längere Funktionsbezeichnungen auf den Visitenkarten stehen als ein SED-Funktionär und hielten, wie ein SED-Funktionär, zukunftsweisende Ansprachen in einem Phantasiedeutsch, das keiner verstand und eigentlich auch nicht verstehen musste. Später haben sie die Kasse geschnappt und sind weg, aber auch das, kann ich euch aus Erfahrung versichern, ist völlig normal. Es war ein Versuch. Gut gemeint. Leider daneben. Sorry und Tschüs.

Denn bis dahin war es doch wirklich ein eigentlich ganz schönes Projekt gewesen. Wann gab es das zuletzt in Deutschland: dass junge Menschen sich so aufgeopfert haben für den Bau einer anderen, besseren Welt? An der alle eine Aktie haben. Für eine Einlösung der Glücksansprüche im Diesseits. Und eine ganze progressive Kultur drum herum mit ihrem Elan beflügelten.

Im Ostberlin der frühen Sechziger?

Wann wurde zuletzt so vehement versucht, die Arbeit mit dem Leben zu versöhnen? Wann wurde zuletzt der Arbeitsplatz nicht nur zum Kampfplatz für den Frieden, sondern auch zum Mittelpunkt der privaten Sehnsüchte gemacht, die Bürostunden zur erfüllten Lebenszeit und die Kollegen zur Familie, der man immerzu Kaffee, Kuchen und Perlwein mit ins Büro bringt, das man am Abend am liebsten gar nicht mehr verlassen mochte?

In Volkseigenen Betrieben?

Lasst euch zum Trost versichern: Bei euch war es glamouröser. Es hat besser geschmeckt. Wir waren häufig da, wenn wir Hunger hatten, haben Interesse an euren absolut uninteressanten Projekten bekundet und dann die Wraps vom Buffet gefressen. Die Musik war gut. Die Frauen waren schön; nur manchmal, wenn sie die Haare zu straff zurückgenommen hatten und zu überengagiert durch ihre kantigen Brillengestelle schauten, wirkten sie ein bisschen streng und ältlich, wie erbitterte FDJ-Sekretärinnen. Dann war Prosecco wichtig. Wie früher, bei Betriebsvergnügen.

Zum Schluss hatte der alte Ostberliner Arbeiterführer Manfred Krug mit seiner Werbung für die Volksaktie der Telekom sogar beinahe noch den ganzen Rest des Landes mit reingezogen in diese egalitäre, quasikommunistische Heilserwartung, die die Mechanismen des Kapitalismus nutzte und ihm schließlich die Maske vom Gesicht riss. Und dialektisch denkende Marxisten wissen: dass dieser Bankrotteurs-Kapitalismus jetzt doch scheinbar obsiegt hat, das beschleunigt sein Ende nur.

Ihr seid die Avantgarde gewesen. Ihr könntet es eigentlich auch jetzt bei dieser Ankunft im Alltag wieder sein. Es wäre nur nötig, dass ihr euch als Wirtschafts-Ossis zu akzeptieren lernt. Es wird Zeit, dass euer Sein endlich auch euer Bewusstsein bestimmt, seit das Wallpaper-Abonnement zu teuer geworden ist und die darin propagierten sozialistischen Retromöbel erst recht. Wenn die ironische Pose nicht mehr bezahlbar ist, haben wir deshalb gedacht, muss das Original her: der echte Osten. Und sind mit ein paar von euch, die sich Chamonix leider nicht mehr leisten konnten, neulich zum Skifahren nach Spindlermühle gefahren, ins tschechische Riesengebirge. Dahin, wo wir früher Urlaub gemacht haben. Wo eure Navigationssysteme verwirrt aufgeben und wo die Häuser noch grauer und rußiger sind als in Eberswalde oder Magdeburg.

Die Schlangen am Lift waren lang, der Schnee auf dem Hang dürftig. Es förderte die Geduld und die Genügsamkeit. Die Betten der engen Doppelzimmer standen mit den Kopfenden zueinander, das förderte die Moral. Dusche und Klo waren auf dem Flur, und die sauerkrautige Halbpension wurde von den Kellnerinnen mürrisch auf einen Tisch im Hinterzimmer geklatscht. Mehr sei nicht drin, erklärte der Hotelchef, das deutsche Reisebüro zahle so wenig, dass eine Modernisierung des Hotels oder wenigstens des Essens leider nicht bezahlbar seien. Das macht diesen neuen deutschen Geiz so geil: Er konserviert ein Ambiente, an das sich jetzt alle schon mal langsam wieder gewöhnen können.

Und umgekehrt wurde von dort, aus der Osterweiterung der deutschen Misere, endlich auch wieder erkennbar, was die wahre Essenz des Westens ist. Denn der Osten hat sehr präzise Vorstellungen davon. Und in Spindlermühle hatten sie alle diese Vorstellungen auf den Punkt gebracht und diesen Punkt »Dolska Fun Center« genannt. Sie hatten einen großen Haufen Beton in die Ortsmitte gekippt und alles hineingetan, was das süße Leben unter westlichem Neonlicht ihrer Meinung nach ausmacht. Eine Diskothek mit vielen Spiegeln und minderjährig wirkenden Gogotänzerinnen. Einen Saal, der Bar, Bowlingbahn und Billardhalle zugleich war, wo es Spielautomaten, Dartscheiben, Videobeamer, Großbildleinwände und Fernsehmonitore gab, die Popvideos zeigten, Eurosport, Formel Eins, Profiboxen und Erotik. Noch mehr Erotik verstrahlten zwei blond gefärbte Mädchen. Sie tanzten nackt an einer Chromstange gegen das Gewitter aus Bildern an, das einen überhaupt nicht mehr wissen ließ, wohin man blicken sollte. Und wenn man deshalb konzentriert ins Glas und seinen

Aschenbecher starrte, sah man plötzlich eine Frau sich darüberbeugen. Kein Mädchen, eine Frau, Ende dreißig, drei Kinder, Geldprobleme, ein zu Tätlichkeiten neigender Ehemann. Die Frau tauschte die Aschenbecher aus. Und das tat sie »topless«. Man sah also genau genommen gar nicht die Frau, man sah über den Gläsern und dem Aschenbecher nur zwei Brüste baumeln, in die diese ganze traurige Lebensgeschichte eingeschrieben war.

Und unsere Hamburger IT-Loser schauten so erschrocken in diese Kurven, wie sie damals in die Kurven ihrer Aktiendepots auf dem PC geschaut hatten, als diese plötzlich zu sacken begannen.

So kann er aussehen, der Westen, von hier aus. Daran muss man sich erst mal gewöhnen, klar. Aber das musste ich auch.

Bettgeschichten

»Vorbei sind die Zeiten, wo westdeutsche Männer mit ein paar Nylonstrümpfen und 'ner Probeflasche 4711 in der DDR Mädchen um sich scharten«, konstatierte im Juni 1990 eine große Hamburger Illustrierte und kam zu der Erkenntnis: »Die DDR-Frauen wissen sehr wohl, wo es längs geht«.

Unter der Überschrift »DDR-Mädchen: Sehr sexy und sehr stolz« hatte das Blatt deshalb einen »DDR-Knigge für Sex-Touristen« erstellt; denn dass an denen durchaus Bedarf bestand, das hatte ein paar Seiten zuvor eine Sozialreportage über Brigitte (23) aus Halle gezeigt: »Ja, ich bin einsam. Denn seit mich mein Ex-Verlobter Knall auf Fall verlassen hat, um in den Westen zu gehen, bin ich solo. (…) Von Beruf bin ich Monteurin, fände also auch in der Bundesrepublik schnell einen Job.« Ihre Hobbys seien im Übrigen Kochen, Putzen und Kuscheln – aber es gebe leider nur wenige Männer, die dafür Verständnis haben.

Ich bin mir nicht sicher, ob das so stimmt. Ob sie wirklich Monteurin gesagt hat, DDR-Frauen verwendeten ja meistens eher die männliche Berufsbezeichnung. Aber wer sie erobern wollte, auch die Brigitte aus Halle, der musste schon ein paar »Spielregeln« beachten. Das Magazin, es handelte sich übrigens um die *St. Pauli Nachrichten – Deutschlands Lustblatt Nr. 1*, gab deshalb zu bedenken:

»Bescheidenheit ist angesagt. Auch das Herumwedeln mit schwarz getauschter Mark der DDR macht keinen Eindruck. Mit DM zahlen und nicht protzen. Auch Trinkgeld sollte nicht übermäßig viel gezahlt werden. Der große Wagen vor dem Café macht kaum Eindruck, wenn die Fingernägel des Besitzers schwarz sind … . Die DDR-Frauen wollen genau das, was auch die Frauen in der Bundesrepublik wollen; zärtliche Männer ohne große Klappe. Und was am allerwichtigsten ist: Am ersten Abend gleich ins Bett funktioniert nur bei DDR-Huren. Frauen, die ins Auto steigen, wollen meistens nur mal in einem West-Wagen sitzen. Mehr nicht. Zusteigen bedeutet nicht gleich hinlegen.«

Zu erfahren, dass man geradewegs aus einem sexuellen Paradies kommt, ist immer etwas verstörend. Vor allem hinterher. Wenn man nicht mehr zurückkann. Und wenn man das alles vielleicht auch ein bisschen anders in Erinnerung hatte. Als wir nämlich früher die von Verwandten eingeschmuggelten Bravo-Hefte auseinander nahmen und die Eingeweide Seite für Seite verhökerten, dann gab es zwar Mädchen, die zehn oder vielleicht auch fünfzehn Mark für ein Plakat von Pierre Cosso ausgaben, oder Jungs, denen ein hübsches Foto der Gruppe Slayer sieben Mark wert war. Am meisten Geld ließ sich aber, ganz unabhängig vom abgebildeten Popstar, immer dann verdienen, wenn auf der Rückseite zufällig das Dr.-Sommer-Team einen grandios übersexualisierten Westen vorführte, in dem schon Zwölfjährige in ihren Leserbriefen eher gelangweilt auf ihr Liebesleben zurückblickten.

Jutta Resch-Treuwerth, die als Sexualberaterin einen vergleichbaren Job in der FDJ-Zeitschrift *Junge Welt* ausübte, ging nie auch nur annähernd in die Details. Sie warnte immer nur, dass man bei aller Liebe zur Liebe auf keinen Fall die Schule und die Berufsausbildung schleifen lassen dürfe. Und das ist ja nun nicht direkt das Garn, aus dem die feuchten Träume gestrickt werden.

Man konnte schließlich nicht ahnen, wie die Verhältnisse

wirklich waren und dass einem eines Tages vor Augen gehalten würde, dass diese verloren gegangene Welt ohne Aids und ohne pornografische Leistungszwänge nicht mit »DDR« hätte etikettiert werden dürfen, sondern mit »Eden«.

Der Osten als großer, unschuldiger Naturkindergarten, wo praktisch jeder ständig mit jeder rumgemacht hat – das sind schon ziemlich vulgärrousseauistische Phantasien, mit denen man da im Westen plötzlich konfrontiert wurde, und zwar nicht nur von Schmuddelblättchen oder pädophilen FKK-Freunden.

Vielleicht waren es die vielen frühen Ehen, die frühen Kinder, die frühen Scheidungen wegen unverblümter Seitensprünge, die dann umstandslos zu neuen Ehen und weiteren Kindern führten, was im Westen den Eindruck hervorrief, dass sich die Leute in der DDR vergleichsweise unbedacht und skrupellos in ihr Liebesleben gestürzt haben. Soziologisch werden diese scheinbar zügellosen Verhältnisse oft damit erklärt, dass keine profaneren Gründe als einzig die gegenseitige Zuneigung, die Liebe, den Kitt der Beziehung darstellten. Mit anderen Worten: eine vernachlässigte Ehefrau musste nicht, wie in gewissen kapitalistischen Ländern, ausharren, bis ihr alter Stiesel endlich stirbt und sie was erbt, sondern sie hatte selber Geld, konnte den Alten zum Teufel schicken und sich einen aufmerksameren und liebevolleren Lebensgefährten nehmen, wenn sie denn einen fand.

Dazu muss man aber der Ehrlichkeit halber auch ergänzen, dass viele Leute damals ja nur deswegen mit 18 geheiratet und mit 19 Kinder gekriegt haben, damit sie an eine Wohnung, an einen staatlichen Kredit (der dann nämlich »abgekindert« werden konnte) und eventuell an ein Auto kamen. Es gab sogar mal einen DEFA-Film über diese Art von Familienplanwirtschaft, »Grüne Hochzeit« hieß der. Man kann sich jedenfalls darüber streiten, ob das in der DDR wirklich immer eine von sozialen Zwängen freie Romantik war oder nicht mindestens genauso oft auch eine ziemlich pragmatische Erzwingungsromantik. Also letztlich auch nichts Besseres als der Heiratsmarkt im Westen, der seinerseits dann seltsam fiebrig auf die Ostdeutschen reagierte.

Und das war das Verstörendste daran – dass die sexuellen Wunschbilder eigentlich ja im genauen Gegensatz standen zu den Bildern, die ansonsten über den Osten kursierten: Die Frauen trugen meterlange Achselhaare und die Männer Socken in den Sandalen. Unter diesen Umständen hätte es im Grunde genommen niemals zum Sex kommen dürfen. Jedenfalls nicht zu deutsch-deutschem. Kam es aber doch. Und zwar vor allem zwischen westdeutschen Männern und ostdeutschen Frauen. Das spiegelte sich übrigens nicht nur in den trüben Annoncen von Publikationen wie den *St. Pauli Nachrichten*. Auch die Berliner Stadtillustrierte *Zitty* hatte im Sommer 1991 für eine große Reportage über Ost-West-Partnerschaften ausschließlich Pärchen aufbieten können, wo der Mann aus dem Westen kam und die Frau aus dem Osten. Warum das so war, stand leider nicht da. Nur einer, ein sich vergleichsweise unverblümt äußernder Deutschbrasilianer, wagte die generalisierende These, Ostfrauen seien nicht so »neurotisch«. Was auch immer er damit meinte. Er wird inzwischen aber eingesehen haben: Ayurveda, Hildegard-von-Bingen-Dinkel, Feng-Shui und was bodenständigeren Männern sonst noch alles Furcht einflößt, das ist weniger eine Frage der Herkunft als des Einkommens. Wenn also auch gelegentlich in den Kaufhallen des Ostens das Regal mit dem Fleisch kürzer und das mit dem Körnerkram länger wird, dann ist das meistens ein Indiz dafür, dass der Aufschwung Ost Früchte trägt, zum Beispiel eben Trockenfrüchte.

Weil ich mich selber leider bisher weder mit Männern aus dem Westen noch solchen aus dem Osten zu Partnerschaften entschließen konnte, diesen Punkt hier aber trotzdem gerne abgehandelt wissen wollte, fragte ich J. um Hilfe, die Frau, die aus dem Osten kam und sich mit den Männern auf beiden Seiten und aus beiden Perspektiven blendend auskennt. »Ich schreibe ein Buch über den Osten und den Westen«, erzählte ich ihr, »und es soll auch um Liebe gehen darin. Ich wünsche mir natürlich viele Frauen im Publikum. Denen möchte ich gern ein bisschen Service bieten. Was muss eine Ostfrau beachten, die an einen Westmann gerät, was eine Westfrau, die einen aus dem Osten erwischt? Du bist die Einzige, die ich kenne, die beides weiß.«

»Westmänner finden Ostfrauen sowieso exotisch«, meinte J., das helfe schon mal enorm, da müsse man eigentlich gar nichts anders machen, als man es gewohnt ist. Und Westfrauen, die was mit Ostmännern anfangen wollen, gebe es kaum.

»Ostmänner wären aber eine Entdeckung wert«, behauptete ich gekränkt, »und Frauen wollen immer irgendwas anders machen«, behauptete ich weiter, »wozu gibt es sonst so viele Frauenzeitschriften mit Tipps, wie sie Männer behandeln sollten? Stell dir vor, du schreibst Tipps für eine Frauenzeitschrift«, schlug ich J. vor, »mit Mut zur Wahrheit und zum Klischee.«

Für so eine Ostfrauenzeitschrift würde sie, sagte J., Folgendes schreiben:

»Geben Sie dem Westmann nie das Gefühl, dass Sie ihn haben wollen. Am besten, Sie flirten gleich mit seinem besten Freund. Der Westmann ist auf Konkurrenzverhalten getrimmt, es wird seinen Ehrgeiz anstacheln. Lieber einen Zweitmann anschaffen, als die Sache überstürzen. Dabei lässt sich auch seine Wachsamkeit testen. Ist er wachsam, müssen Sie sich nämlich leider auf strengste Monogamie einstellen. In den Augen des Westmanns gehen Sie in seinen persönlichen Besitz über. Fehltritte werden mit Geld-, Liebes- und Kinderentzug, schlimmstenfalls sogar mit Gewalt geahndet. Denken Sie daran, für ihn handelt es sich um eine langfristige Investition, für die er klaglos den Rest seines Lebens lang zahlen wird. Das findet er normal, denn sein Vater hat das auch schon so gemacht.

Seien Sie deshalb ruhig unbescheiden. Zahlen Sie niemals

selbst. Gehen Sie erst nach vielen Monaten und vielen Geschenken mit ihm ins Bett, und versprechen Sie sich davon nichts. Der Westmann tut avantgardistisch, ist aber in Wahrheit konservativ. Um Verhütung brauchen Sie sich nicht zu kümmern. Wenn er sich nicht längst hat sterilisieren lassen, hat er immer genügend Kondome dabei, die er unbedingt benutzen wird, egal, wie lange Sie die Pille schon nehmen. Während des Beischlafs überschlägt er dann noch einmal im Geiste, was ihn ein Materialversagen in den folgenden zwanzig Jahren kosten würde. (Falls Sie Kinder haben, so lange, wie es geht, verschweigen!)«

Frauen als Kapitalanlage, Partnerschaften als Teil der Vermögensplanung – als ich das gelesen hatte, sah ich schwarz für Männer aus dem Osten; die können sich Sex oder gar eine Beziehung unter den gegebenen Umständen praktisch erst nach Angleichung der Lebensverhältnisse leisten, also frühestens in fünfzig Jahren. Da Männer aus dem Osten aber nun einmal alle so umwerfend gut aussehen, versuchte ich J. einzureden, könnte es ja zumindest theoretisch auch mal passieren, dass eine westdeutsche Leihbeamtin, die es beruflich in die Neuen Länder verschlagen hat, aus Langeweile auf unvernünftige Gedanken kommt.

»Es wäre praktischer, wenn diese Frau aus dem Westen keine Leihbeamtin wäre, sondern Grundschullehrerin oder Psychologin«, erwiderte J., »der Ostmann hat nämlich latent Probleme mit dem Selbstbewusstsein, er braucht sehr, sehr viel Zuwendung und Trost.«

Ich möchte auf keinen Fall, warnte ich J., dass Männer meines Alters irgendwie schlecht wegkommen, Männer, in denen ich mich womöglich selber wiedererkennen könnte. Sie solle vorsichtshalber mehr so über die fünf bis sieben Jahre älteren schreiben, über welche, die noch stärker von der DDR geprägt wurden, die ein bisschen was mitgemacht und das Leben erlebt haben.

Genau das sei ja eben das Anstrengende an so einem, schrieb J., jetzt als Westfrau: »So ein Ostmann erzählt einem gleich am Anfang in allen Details seine komplette, meistens auch komplett tragische Lebensgeschichte. Man muss dann unbedingt ganz viel Verständnis für seine vielen Probleme zeigen. Rechnen Sie damit, dass er Kinder hat. Wenn Sie selbst keine Kinder haben, borgen Sie sich welche. Bekunden Sie Interesse an weiterem Nachwuchs. Teilen Sie seine Hobbys und zwingen Sie ihn, zum Bauchtanzkurs mitzukommen; ein Ostmann geht davon aus, dass ein Paar alles gemeinsam tut. Sollte in Ihrem Haushalt gerade alles funktionieren, machen Sie etwas kaputt und bitten ihn um Hilfe. Der Ostmann kann alles, das Parkett verlegen und schleifen, die Elektrik installieren, zur Not das ganze Haus auseinander nehmen und neu aufbauen. Und Sie können sich schon mal an seinen Anblick im Blaumann gewöhnen. Nehmen Sie immer genug Geld mit beim Ausgehen, er hat nämlich wahrscheinlich gerade keins dabei; und erwarten Sie weder Geschenke noch Komplimente. Er spart, wo er kann. Immerhin können Sie sich übertriebene Diskretion sparen, wenn Sie mal fremdgehen. Der Ostmann ist tolerant. Leider erwartet er das Gleiche von Ihnen. Das ist etwas gefährlich, denn Kondome sind ihm unbekannt. Er hat sich über mögliche Konsequenzen noch nie Gedanken gemacht. Machen Sie sich diese Gedanken, solange Sie noch klar denken können. Denn damit kann es vorbei sein, wenn Sie erst mal mit ihm im Bett gelandet sind. Was Sie dann erleben dürfen, haben ihm die Ostfrauen seit frühester Jugend beigebracht.«

Ich möchte dazu schon deswegen hier keinen Kommentar abgeben, weil sich vermutlich jeder selber ausmalen kann, was rauskommt, beziehungsweise übrig bleibt, wenn die Jüngeren auch in diesem Lebensbereich die innere Einheit herstellen und zu gesamtdeutschen Versagern werden.

Auch über die Frauen des Westens werde ich kein Wort verlieren, denn dazu fühle ich mich noch nicht alt genug.

Hier nur eine ganz allgemeine Beobachtung: Vor den Sex hat der Anstand im Westen ausgiebiges und ruinöses Essengehen gesetzt. Umgedreht wäre es natürlich praktischer, hinterher hat man ja meistens mehr Hunger.

Vielleicht hat das aber auch nur etwas mit Hamburg zu tun. Angesichts der dort so offen zur Schau gestellten Sexindustrie hatte mich nämlich immer der hohe Stellenwert von Sittlichkeit im privaten Umgang überrascht. Wirklich neu und ungewohnt war, mit welcher formalen Ordnungsliebe hier Partnerwechsel angegangen werden. Ein Mädchen hat sich neu verliebt, aber bevor sie mit dem Neuen was anfängt, muss sie ihre alte Beziehung erst offiziell beenden. Rührend daran ist, mit welchem Zutrauen da gewissermaßen die Katze im Sack gekauft wird. Ob man sich im Bett versteht, ist offensichtlich zweitrangig, wichtiger ist die soziale Kompatibilität. Und diese, nicht der Sex, wird zuvor aufwändigen Testreihen unterzogen. Es kann einem passieren, dass man viele Abende lang in Restaurants, Bars, Kinos, im Theater oder in der Oper Kultur, Bildung, Finanzspielräume und vor allem Geduld beweisen muss. Man darf sich nicht wundern, wenn man zu seinen Eltern und deren Lebensverhältnissen befragt wird. Zumindest sollte man seriöse und trotzdem interessante Zukunftspläne darlegen können. Es ist nicht verkehrt, sich an solchen Abenden an berufliche Bewerbungsgespräche erinnert zu fühlen – und sich entsprechend kontrolliert zu benehmen. Oder an die Aushandlung der Schlussakte von Helsinki, denn letzten Endes geht es immer nur darum, zu einer friedlichen Koexistenz zu finden, bei der sich beide weitgehend in Ruhe lassen. Statt zu unverantwortlich schnellen Abenteuern kommt man auf diesem Wege schnell zu einer großen familiären Vertrautheit. Der Sex selbst wird einem dann wie eine anachronistische und etwas alberne Formalie erscheinen, die man später fast ein wenig widerwillig nachholt, denn eigentlich ist man dann beinahe schon wieder zu alt dafür.

Da könne man auch jeden Abend in den Puff gehen, da käme man billiger, befand deswegen eines Tages M., der ebenfalls aus Dresden stammte. Und das ist nicht nur rein rechnerisch fraglos richtig, es führt auch zum Kern der Sache. Denn es sind immer die am freizügigsten daherkommenden Städte, wo sich die Leute am zugeknöpftesten geben. Und die Moral wächst und gedeiht natürlich dort am allerbesten, wo sie in das grelle Neonlicht der Sexshops, Stripclubs und Bordelle getaucht wird. Wo Sexualität derart offensiv als Ware angeboten wird, wie in gewissen Ausgehvierteln von Hamburg, da zieht man aus Selbstschutz ganz automatisch das sittliche Korsett ein bisschen enger – so hat mir das jedenfalls mal eine junge Frau aus Hamburg erklärt. Pornografie und grell veräußerlichter Sex wirken am Ende also doch nicht nur verrohend, sondern auch kathartisch. Die Welt wird besser dadurch.

Vielleicht liegt da auch die eigentliche Erklärung für den ostdeutschen Geburtenknick nach dem 9. November 1989, also nach den ersten kollektiven Blicken über die Mauer und in das Sortiment von Beate Uhse. Gerade empfindsame Seelen können nach dem ersten durchblätterten Pornoheft zu gar keiner anderen Schlussfolgerung gekommen sein, als zu der, dass Sexualität eine einzige Zumutung und nur etwas für Leute ist, die auch vor den Auslagen beim Fleischer masturbieren würden.

Reizend daran sei, erklärte ich dem frustrierten M., dass ausgerechnet im liberalen prostestantischen Norden das Kalkül einer sehr frühmittelalterlichen katholischen Bildpolitik aufgeht: Die krassesten Bilder der Sünde führen den Menschen zurück zu Keuschheit und Tugend.

Es war M. dennoch kein Wohlgefallen.

Rotlicht Walhalla

M. war allerdings auch etwas traumatisiert in diesen Dingen. Er hatte in Hamburg nämlich einmal eine sehr nette junge Russin kennen gelernt. Das heißt, in Russland hatte sie als Deutsche gegolten, deshalb durften ihre Eltern nach Deutschland, wo sie nun aber wiederum eher Russen waren. M. war erst ganz erfreut, dass er sein Russisch endlich mal anwenden konnte, wo er es doch so lange hatte lernen müssen, bis ihm auffiel, dass davon nichts mehr übrig geblieben war.

Immer wenn die Rede auf den Russischunterricht kommt, sagen alle, oder zumindest fast alle Ostdeutschen, dass sie alles vergessen haben bis auf das Wort für Sehenswürdigkeiten. Dieses Wort lautet Dostoprimitschatjelnosti. Nur anfangen kann man damit leider wenig. Jedenfalls in Hamburg, wo es ja nicht so wahnsinnig viele Sehenswürdigkeiten gibt. Praktischer wäre es, wenn man auf Russisch sagen könnte: »Tut mir Leid, ich weiß auch nicht, wo hier der nächste Louis-Vuitton-Laden ist.«

Die Russin war sehr romantisch, ihr Lieblingsdichter war Puschkin, und sie wollte ständig ins Ballett. M. war das für den Anfang einer Beziehung aber zu anspruchsvoll, deshalb ging er mit ihr erst einmal in den botanischen Garten, der in Hamburg Planten un Blomen heißt und mit illuminierten Fontänen und Wasserspielen erfreut. M. fand, dass das so aussah, wie russisches Parfüm riecht. Aber der Russin hat es sehr gut gefallen. Sie hatte sich zum Schluss an M. gekuschelt und gesagt, »danke, dass du mir das ermöglicht hast.« Später war sie nicht mehr so billig zufrieden zu stellen. Bei einem Einkaufsbummel in der Innenstadt hatte sie bestürzt festgestellt, dass sie leider komplett gar nichts zum Anziehen habe. Daraufhin hatte M. die nächste Filiale von H&M angesteuert, und sie hatte empört und beleidigt den Kopf geschüttelt und ihn zu Versace geschleppt, wo M. so hilflos und verloren herumhing wie die Kleidungsstücke, die dort vor ihren eigenen Preisen zu frösteln schienen.

Daraufhin hatten sie sich in verschnupfter Stimmung aus den Augen verloren. Bis M. eines Abends durch die gänzlich der Prostitution vorbehaltene Herbertstraße lief – nur um den Weg abzukürzen, versteht sich – und eigentlich weder nach links noch nach rechts schaute, allenfalls vielleicht ein kleines bisschen. Und dann sah er da seine Russin stehen. Als Schaufensterpuppe. Er ging hin und sagte: »Hallo«, und sie sagte : »Hallo«, und dann sagte er: »Du hier?« und kam sich dabei sehr dumm vor, weil sie das genauso gut ja auch zu ihm hätte sagen können. Und dann redeten sie gänzlich Belangloses, so als hätten sie sich gerade im Aldi wiedergetroffen und nicht in der Herbertstraße. Wie es denn so gehe und der Familie, obwohl das vielleicht nicht unbedingt der Ort war, um sich nach der Familie zu erkundigen. »Tja, dann«, hatte M. zum Schluss unschlüssig gemurmelt, er müsse jetzt mal weiter. Vielleicht sehe man sich ja mal. M. war dann sehr verstört aus den hölzernen Sichtblenden der Herbertstraße hervorgetaumelt gekommen und in das nächstbeste Lokal gestürmt. In die Paloma-Bar, von der es hieß, dass sie dem Maler Jörg Immendorf gehöre, dessen Rotlicht-Affinität damals schon bekannt war, wenn auch nicht in ihren zuletzt offenbarten Ausmaßen. Der Barkeeper schenkte ihm gleich einen doppelten Schnaps ein.

»Mutter oder Schwester?«, fragte er.

»Wie bitte? Nein. Eine Freundin«, stammelte M., nun noch erschrockener über das Ausmaß der Sittenverderbnis.

»Ach so«, sagte der Barkeeper enttäuscht, nahm den doppelten Schnaps wieder weg und stellte stattdessen einen einfachen hin. »Nur eine Freundin.«

———

Die so genannte Sexindustrie – das war das zweite große Tabu, das nach der Wende im Osten sofort fiel und einen erst mal sprachlos gemacht hatte. Aber nicht lange. Schon kurz nach der Währungsunion war die Straße nach Teplice ab dem Grenzübergang Zinnwald, wie investigative Privatsender herausfanden, der größte Straßenstrich Europas. Und Leuten zufolge, die jetzt auffällig häufig »zum Tanken« rüberfuhren, musste man aufpassen, dass man die vielen halb nackten Mädchen nicht aus Versehen überfuhr, die da mitten in den Wäldern auf der Straße herumstanden. Schon kurze Zeit später taten sie das auch in vielsagend illuminierten Wellblechbaracken an den Rändern der ostdeutschen Städte.

Das andere Tabu sind die vielen Hakenkreuzen gewesen. In Dresden wurden beide Phänomene der besseren Übersichtlichkeit halber in Personalunion von einem gewissen Rainer Sonntag verkörpert. In die Chroniken eingegangen ist er als der Mann, der in anderthalb Jahren aus Dresden eine neue »Hauptstadt der Bewegung« gemacht hatte, eine Stadt, die weitgehend in der Hand von Rechtsradikalen war. Man hatte ihm diese Führerrolle nicht unbedingt angesehen. Manche meinten, Sonntag habe ausgeschaut wie eine laufende Leberwurst, andere sagten: wie ein Ecken-Assi, der nur deshalb nicht zum Opfer seiner Gesinnungsgenossen wurde, weil er deren Chef war. Sonntag hatte sich schon in der DDR rechtsradikal betätigt, war 1987 festgenommen, wegen Rowdytums und Körperverletzung verurteilt und kurze Zeit später in den Westen abgeschoben worden. Bevor er in Hessen bei Michael Kühnens Nationaler Sammlung Karriere machte, hatte er dem Vernehmen nach schon eine im Rotlichtmilieu von Frankfurt hingelegt. Er schien jedenfalls zu wissen, wovon er sprach, als er im Dezember 1989 nach Dresden zurückkehrte, zum Chef der explosionsartig sich vermehrenden Rechten avancierte und diese einen Sommer später in den Kampf gegen die Prostitution führte. Irgendein Feindbild hatte er ihnen wahrscheinlich bieten müssen, damit sie sich nicht eines Tages gegenseitig zerfleischten – und es gab sonst nicht viel, was eine lohnende Angriffsfläche geboten hätte. Es fehlte massiv an Ausländern, und die wenigen Linken zogen den Kopf ein, meistens jedenfalls. Ernst zu nehmende Gegner gaben einzig die Zuhälter ab, die meistens aus kleineren westdeutschen Städten herübergekommen waren.

So kam es, dass die virilsten Rumrülpser auf einmal mit ungewohnt feministisch tönenden Sprüchen durch die Straßen marodierten und dort Dinge veranstalteten, die selbst den damals ziemlich duldsamen Gerichten mitunter so krank vorkamen, dass sie die Jungs nicht in den Knast, sondern direkt in die Psychiatrie schickten.

Mir wurde zu dieser Zeit eines weniger schönen Abends zum Beispiel mal bedeutet, ich hätte widerrechtlich »den Fickschlitten« von irgendeinem rechten Rocker angesprochen, und müsse deshalb jetzt leider sterben. Ich wusste überhaupt nicht, wovon oder vielmehr von wem die Rede war. Aber ich war trotzdem sehr erleichtert, als ich kurz darauf hörte, der Besitzer des so genannten Fickschlittens sitze jetzt in einer geschlossenen Anstalt, weil er ein paar Molotowcocktails in einen gut besuchten Puff geworfen hatte.

So was passierte damals sehr häufig. Aber es war nicht ausschließlich irre, sondern eigentlich auch ziemlich geschickt: Die Rechten konnten mit ein und denselben Aktionen ihre Ansprüche in einem damals stark expandierenden und lukrativen Geschäft durchsetzen, gegen das sie gleichzeitig als moralische Ordnungsmacht vorzugehen vorgaben.

In der Nacht zum 1. Juni 1991 – der Polizeibericht verzeichnet zu diesem Zeitpunkt lediglich dreißig Jugendliche, die in

Pirna ein Asylbewerberheim auseinander nehmen, und es verspricht eigentlich auch sonst eine weitgehend normale Nacht zu werden – macht gegen 23:00 Uhr das »Sex Shopping Center« in Dresden-Mickten vorzeitig Feierabend, weil vor einem Überfall gewarnt worden war. Die beiden griechischen Zuhälter, die später auf den Pressefotos entfernt an das Popduo Milli Vanilli erinnern sollten unter ihren langen dunklen Haaren und langen dunklen Mänteln, diese beiden griechischen »Bordellbetreiber« würden in den Vernehmungen zu Protokoll geben, dass es um 50 000 Mark ging, die als Schutzgeld erpresst werden sollten. Weshalb das, was kurz nach 00:00 Uhr vor dem Lichtspieltheater »Faunpalast« passierte – der so genannte Staranwalt Bossi würde es später im Prozess mit Erfolg deutlich machen – im Grunde Notwehr war.

Was kurz nach 00:00 Uhr vor dem »Faunpalast« passierte (bis dahin war mir dieses Kino, nebenbei bemerkt, als stimmungsvoller Abspielort von Sindbad-Filmen in schöner kindlicher Erinnerung gewesen), das war Folgendes: Es stehen fünfzig Rechtsradikale davor herum. Auf der Straße hält ein schwerer Mercedes. Heraus steigen Milli Vanilli. Die Rechtsradikalen weichen entsetzt zurück. Nur ihr Führer hat den Mut, der Bedrohung entgegenzugehen. Er tut es mit wiegenden Schritten. Dabei hebt er provozierend die Hände und zeigt, dass er keine Waffen hat, außer seinem Geruch. Auch der eine von Milli Vanilli kommt näher, auch er hebt provozierend die Hände, aber er hat noch etwas zum Hochheben, was Sonntag nicht hat: eine abgesägte Schrotflinte.

Schrot, ich glaube, es handelte sich um so genanntes Universalschrot, eignet sich bekanntlich vor allem zum Erlegen von Niederwild.

Bei dem anschließenden Showdown zersiebt ein Teil der Ladung das Gesicht von Rainer Sonntag. Der Anblick erinnert an die Kapern in einer schimmligen Scheibe Mortadella. Der Horst Wessel von Dresden-Mickten, er ist zu diesem Zeitpunkt

36 Jahre alt, sackt tot auf den Bürgersteig. Ein Kamerad wird später seinen Körper mit einer Reichskriegsfahne bedecken.

Die Beerdigung wurde zum bis dahin größten Naziaufmarsch der Nachkriegsgeschichte. Westnazigrößen wie Christian Worch, Heinz Reisz und Ewald Althans stilisierten den schon zu Lebzeiten oft etwas grindig wirkenden Sonntag zum »Blutzeugen der Bewegung«.

Daraufhin beruhigten sich auch die Rechtsradikalen allmählich wieder. Jedenfalls nahmen sie jetzt keine Molotowcocktails mehr mit, wenn sie in den Puff gingen.

Peep

N. kam aus Rostock und hatte ein Problem.

Genau genommen hatte seine Freundin das Problem, aber sie wollte es nicht wegmachen lassen. Abtreibung käme für sie aus Prinzip nicht in Frage. N.s Freundin wollte aber nicht nur das Kind, sie wollte es auch ehelich. Und dieser Sizilianismus war N.s eigentliches Problem. Er hatte sich zwar in harter Schichtarbeit zumindest eine Reihenhaus-Existenz vor den Toren Hamburgs aufgebaut, und das mit dem Kind, meinte er mutig, würde er vielleicht auch noch hinkriegen. Nur zwei Dinge konnte er leider nicht: das erste war heiraten, und das zweite war – seiner Freundin sagen, warum er das nicht konnte.

Er war nämlich schon verheiratet.

Eine Kolumbianerin mit dem Namen Darlin hatte dafür 20 000 DM auf den Tisch gelegt.

»Wie Darling nur ohne G«, sagte N. Wie sie ansonsten noch heiße, das wisse er schon gar nicht mehr.

Er hatte sie damals bei einer eiligen Eheschließung in Dänemark zum ersten und zum letzten Mal gesehen, und er sei jetzt erst, wegen dieser Sache, wieder mit ihr in Kontakt getreten. Sie sei verärgert und gereizt gewesen, aber er habe von ihren Schimpfkanonaden so gut wie nichts verstanden, weil er leider kein Spanisch spreche. Ich verstehe es immerhin ein bisschen. Es hatte da ganz gute Sprachkurse an der Universität gegeben.

Deshalb brachte N. mir eines Tages einen Anrufbeantworter, den er behutsam auf den Tisch legte. Wie ein heikles Beweisstück. Wie eine soeben geborgene Blackbox, von der sich die Experten Aufschluss über den Hergang eines großen Unglücks erwarten. Das traf in etwa auch zu. Eine Frauenstimme, die von einem floskelhaften Deutsch schnell ins Spanische wechselte und dann immer erregter, zorniger und schriller wurde, bis ihre Stimme nicht mehr zu unterscheiden war von dem Piepen am Ende des Bandes.

»Pass auf, Schatzi«, hatte Darlin zunächst auf Deutsch gesagt, und es hatte nicht sehr zärtlich geklungen, eher ein bisschen müde, »ich bin im Knast. In Bielefeld.«

Sie wisse auch nicht, weshalb sie ausgerechnet in dieser Stadt sitze. Aber sie sitze in Abschiebehaft. Sie müsse Sachen tragen, die aussähen wie ein hässlicher Schlafanzug, und außerdem teile sie ihre Zelle mit einem Haufen Russinnen, die ihr sehr auf den Geist gingen. Einige von ihnen weinten immerzu, wahrscheinlich weil sie das alles noch nicht kennen. Und ein paar andere, ältere, die das alles offenbar schon sehr gut kennen, seien auch gewalttätig und besonders ihr gegenüber feindselig. Sie werde jetzt wohl nach Kolumbien abgeschoben. Aber sie werde wiederkommen. Und dann müsse er, N., endlich alles regeln. Das war jedenfalls das, was ich ihrem etwas unscharfen, schnellen spanischen Redefluss entnahm und N. übersetzte. Er schaute sehr unglücklich, besonders bei »endlich alles regeln«.

Zwei Monate später meldete Darlin sich wieder. Weil N. trotz seines mecklenburgischen Naturells allmählich ein bisschen unruhig wurde und mich gebeten hatte, ihm in dieser Sache zu helfen, stellte er das Gespräch durch.

Sie sei Tänzerin, hatte Darlin vage ihren derzeitigen Beruf umschrieben. Wir sollten sie nach der Arbeit abholen. N., und ich als Dolmetscher. Ihr Arbeitsplatz lag am Steindamm in St. Georg.

Das erotische Dienstleistungszentrum befand sich im Erdgeschoss eines Bürogebäudes und schimmerte sehr blaumetallisch, als wollte es sich damit vom plüschigen Rotlichtambiente der in dieser Straße reichlichen Konkurrenz abgrenzen. Das Innere verströmte eine Aura großer Reinlichkeit. Man musste durch einen Sexshop und kam dann in ein großes, mit dämpfender Auslegeware versehenes Foyer. Starke Reinigungsmittel übertönten den Spermageruch aus den Kabinen, die rechts hinter einer großen, gläsernen Stellwand lagen, in der zur Programmvorschau die Hüllen von Videokassetten ausgestellt waren. Ein Mann um die vierzig notierte sich mit einem kleinen Bleistift, auf welchem Kanal die Filme liefen, die er sehen wollte. Es war nicht viel los, über den meisten Kabinen leuchtete ein grünes Lämpchen. Nur eine war rot, also besetzt. Ich hätte um diese Uhrzeit am späten Nachmittag mit mehr Betrieb gerechnet.

Links führte eine große geschwärzte Glasschiebetür zu den »Live Girls«. »Unbegrenzter Aufenthalt« stand da. Und dass das zehn Mark koste.

Wir wandten uns an einen eunuchenhaften Mann, der am Ende des Foyers in einer Art Pförtnerkoje saß, und sagten, wir wollten Darlin besuchen, wir seien aber keine Kunden oder so was, sondern Freunde, also privat – und es klang alles sehr unglaubhaft, befürchtete ich. Aber der Eunuch kannte ohnehin keine Darlin. Auch keine Darling mit G. Vielleicht verwendet sie eine Art Künstlernamen, überlegte ich. Aber jemand, dessen richtiger Name schon so sprechend klingt, als sei er extra für dieses Milieu ausgedacht – was für einen Kampfnamen kann sich so jemand bitteschön noch aussuchen fürs Sexgeschäft?

»Vielleicht: O.?«, dachte ich.

»Wer fängt denn hier so alles mit D an?«, fragte in diesem Moment aber, ungewöhnlich instinktsicher, N. »Na, die Dascha zum Beispiel«, sagte der Eunuch leutselig, und dann drückte er eine Taste und rief »Dascha« in ein Tischmikrofon.

Dascha. Bei ihm klang es wie Datscha. Darlin hatte am Telefon über die vielen Russinnen in der Abschiebehaft geschimpft. Wahrscheinlich liefen da harte Verdrängungskämpfe, offenbar war dieser Markt schon so veröstlicht, dass sich sogar Südamerikanerinnen slawische Kuschelnamen zulegen mussten. »Dascha, Besuch für dich.« Durch eine weitere Glastür, über der etwas von einer »Disko« stand, schaute dann tatsächlich eine Frau heraus, auf die N.s Beschreibung von Darlin passte – klein, dunkelhaarig, hübsch, 28 Jahre, sah aber jünger aus – und sagte dem Mann, das gehe in Ordnung, und dann ließ er uns hinein.

Die Disko sah aus wie die Kulisse für einen Schimanski-Tatort, wo schmierige Baulöwen enthemmte Orgien feiern, und dann liegt am anderen Morgen ein totes Freudenmädchen in den Lederpolstern, und keiner will's gewesen sein.

Es gab keine Fenster, aber dafür sehr viele Spiegel und Metallgestänge und hohe Hocker rund um die Bar. Außerdem gab es eine runde Bühne, die sich wie ein Karussell um eine Chromstange drehte, an der in diesem Moment eine tätowierte blonde Frau gelangweilt Dehnübungen für ihren Rücken zu machen schien. Hinter der Bühne konnte ich eine Glasscheibe erkennen und dahinter einen Greis, der der blonden Frau anerkennend zunickte und ihr Geldscheine durch einen Spalt unterhalb der Glasscheibe hinhielt. Er musste für zehn Mark durch die geschwärzte Glastür gekommen sein.

Darlin hatte sich ein Seidentuch um den Körper geschlungen, das erkennen ließ, dass sie darunter einen Bikini trug. Sie müsse noch zweimal, sagte sie. Sie müsse was?, fragte ich. Tanzen, sagte Darlin und schob uns zwei Barhocker hin. Dann verschwand sie durch eine Tür.

Ich sah mich um und stellte fest, dass wir im Augenblick die einzigen Männer hier drin waren. Eine dunkelhaarige Frau putzte hinter der Theke Gläser, vor der Theke hockte eine Frau, die genauso langhaarig blond und steiß-tätowiert aussah wie die, die gerade tanzte. Erst nach einer Weile erkannte ich, dass weiter hinten in einer dunklen Sitzgruppe noch eine dicke Schwarzafrikanerin herumdöste. Alle hatten wenig an, blickten leer vor sich hin und nahmen uns nicht weiter zur Kenntnis.

Dann betrat Darlin die Bühne. Während die Blonde mit den Tätowierungen ihre abgeworfene Wäsche wieder einsammelte, bückte sich Darlin zu einem unscheinbaren Eierwecker herunter und stellte ihn auf zehn Minuten. Fünf Minuten lang tanzte sie in voller Montur zu Popmusik aus den aktuellen Charts. Sie tanzte ein bisschen schneller, als der Takt vorgab; und überhaupt machte sie den Eindruck, als begriffe sie das alles eher als Gymnastik, sie ließ sich in den Spagat fallen und solche Sachen. Darlin war verblüffend gelenkig. In der DDR oder der Sowjetunion hätten sie aus ihr vielleicht eine Turnerin gemacht und sie in unschöne blaue oder rote Badeanzüge gesteckt; keine Ahnung, ob das ein besseres Leben geworden wäre.

Als fünf Minuten rum waren, tat sie plötzlich sehr geheimnisvoll gegenüber der Scheibe, wo immer noch der alte Mann stand und sich freute. Darlin legte jetzt ihren BH ab und beugte sich zu dem Alten hinunter. Sie nahm ihm einen Zehn-Mark-Schein durch den Schlitz unter der Scheibe ab, wedelte unter verschwörerischen Blicken ein bisschen damit herum und forderte mit kleinen Gesten weitere Scheine, die sie achtlos auf den Fußboden fallen ließ. Dann tanzte sie drei Minuten oben ohne. Nach insgesamt acht Minuten ging sie zu Boden, räkelte sich auf der Gummimatte und zog sich den Slip aus. Über dem Schambein trug sie eine Narbe. Darlin tänzelte abermals zur Glasscheibe, drehte sich um und drückte dem Alten nun ihren Hintern ins Gesicht. Dafür bekam sie zwanzig Mark. Dann fuhr sie bäuchlings liegend im Spagat eine Runde Karussell. Und als zehn Minuten herum waren, stand sie abrupt auf, kramte ihre Sachen und die Geldscheine vom Boden, wickelte sich in ihr Tuch und ging.

Als sie diesmal wiederkam, trug sie einen knappen Bikini mit der Fahne Brasiliens drauf. Ordem e Progreso. Erstmals seit unserer Begrüßung schaute sie uns direkt in die Augen und zwar mit einem Blick, der sagen sollte: »So, jetzt wisst ihr, womit ich mein Geld verdiene und wie ich nackt aussehe.«

N. kratzte sich durch das blonde Stroh, das auf seinem phlegmatischen Schädel wucherte, und wusste nicht, was er sagen sollte. Er schien sich unschlüssig zu sein, was nun verwerflicher war: dieser Frau beim Nackttanz auf den Hintern zu glotzen und noch nicht mal dafür bezahlt zu haben. Oder angestrengt wegzusehen. Und damit sowohl Darlins Arbeit die Wertschätzung zu verweigern als auch ihrer ganz privaten Schönheit. Außerdem war er ja immerhin mit ihr verheiratet und, da er hier nun seine Ehefrau zum ersten Mal nackt sah, kam das im Grunde sogar einer etwas sehr unsentimentalen Hochzeitsnacht gleich. Mir war die unklare ontologische Qualität unserer Anwesenheit ebenfalls ein bisschen unbehaglich. Wir versuchten zur Sicherheit die Situation betont kühl von außen zu taxieren, wie jemand, der im Kino sitzt, sich aber nicht den Film anschaut, sondern das Kino.

Aber keine unangenehme Situation, die sich nicht noch steigern ließe.

Dann passierte nämlich doch noch das, was ich ohnehin schon die ganze Zeit befürchtet hatte. Die dunkelhaarige Frau, die bisher hinter der Bar die Gläser poliert hatte, kam zu uns herum und behauptete, sie kenne mich.

Aha, sagten Darlin und N..

Aha, sagte ich.

Jaja, sagte die Dunkelhaarige. Aus dem »Safari« auf der Großen Freiheit.

Eine ganz unangenehme Geschichte. Ich hatte dort einmal einen Hochadligen verklappen müssen, den ich zufällig kenne. Er hatte eines Tages angerufen, er sei kurz in Hamburg und wolle »was erleben«. Adlige gehören für mich zur selben Kategorie wie Kinder und Hunde, bestimmt sehr liebenswert, aber leider wahnsinnig anstrengend. Alleine der Stadtbummel mit ihm hatte mich sehr erschöpft. Mitten auf dem Gänsemarkt hatte er mir sein Handgelenktäschchen überreicht, weil er sich die Schuhe zubinden musste, und dabei von unten her laut zu mir hochgerufen: »Nicht fallen lassen, da ist meine Pistole drin, und es kann sein, die ist entsichert.« Neben uns hatten zwei Streifenpolizisten gestanden, die sich augenblicklich dafür interessierten. Dem Hochadligen gelang es, den Polizisten zu erklären, dass es sich um eine Jagdwaffe handele, für die er auch einen Berechtigungsschein besitze, und dass seine 18-jährige usbekische Lebensgefährtin sie leichtsinnig im Handschuhfach seines Rolls-Royce liegen lassen habe, und bevor jemand in seinen Rolls einbricht und die Waffe dann womöglich noch in ganz falsche Hände gerate, da habe er sie also lieber gleich mitgenommen.

Er hatte es nicht einfach mit seinem Aristokratenleben, was vor allem an den vielen jungen Frauen lag, die ihn nach Kräften ausnahmen, was seinen Appetit aber nicht zu trüben vermocht hatte. Er hatte sogar schon reiche Belohnungen in Aussicht gestellt für junge Männer, die bereit wären, mit ihm um die Welt reisten und überall da, wo es ihm gefiel, junge Mädchen »bis maximal 25« für ihn »kennen zu lernen«. Eine Aufgabe, der ich mich leider nicht gewachsen sah. Deshalb hatte ich ihm, als Ersatz gewissermaßen, dieses »Safari« vorgeschlagen. Ein Varieté mit exorbitanten Eintrittspreisen, von dem ich ohnehin immer schon mal hatte wissen wollen, ob es stimmte, dass da live auf der Bühne kopuliert werde.

Es wurde. Und zwar von Menschen, die Bärenfelle trugen, zu der Fernsehmusik von »Familie Feuerstein«. Später war ein Rotkäppchen aufgetreten, hatte sich ausgezogen und dann ihren Dildo durch das Publikum gereicht. Der Adlige hatte angeekelt aufgeschrien und war dann, über Polstersitze stürzend, hastig geflohen; ich musste ihm hinterher, ich hatte Angst, dass er sich was tut. Vorher hatte ich noch einen entschuldigenden Blick auf das Rotkäppchen geworfen, das verdutzt und enttäuscht mit ihrem Dildo in der Hand zurückblieb. Nicht gerechnet hatte ich allerdings damit, dieser Frau noch einmal zu begegnen und von ihr dann auch noch wiedererkannt zu werden.

Ich versuchte Darlin in meinem unbeholfenen Spanisch zu verdeutlichen, dass ich in so genannten einschlägigen Etablissements zwar erkannt werde – aber doch nur wegen der Nichtinanspruchnahme erotischer Dienstleistungen. Darlin hörte überhaupt nicht hin. Hätte ich an ihrer Stelle vielleicht auch nicht getan. Dann musste sie ohnehin wieder tanzen.

Und danach konnten wir gehen.

Als wir auf die Straße traten, war aus Darlin eine andere Person geworden.

Sie wirkte hier draußen viel kleiner. Kleiner und dicker und grauer. Sie trug plötzlich eine Brille und versteckte sich in etwas, von dem ich glaube, dass es Übergangsjacke heißt. Sie schulterte eine schwere Tasche voller Stöckelschuhe und Wäsche, die N. und ich ihr sofort abnehmen wollten, aber das ließ sie nicht zu. Jungs mit einer Mädchentasche, wie denn das aussehe. Unbeholfen wie zwei Bauern hinter einem Packesel liefen wir deshalb den Steindamm in Richtung Bahnhof runter, vorbei an einer »Porno Tausch Börse«, dem »Hotel Lumen«, einer Filiale von »Dat Backhus« und immer wieder an »Sexkinos«, die in braunen und orangen Farben aus einer Zeit herü-Zeit herüberschimmelten, in der ihre Protagonisten Schnauzbärte und Dauerwellen getragen hatten.

Nur im »City Cinema« liefen andere Filme, hochwertige englische Originalfassungen; das Publikum der ersten Abendvorstellung versammelte sich gerade an der Kasse, anglophile Cineasten. Das Warten zwang sie, mit kühler Faszination in eine Szenerie zu schauen, die sie vielleicht an den Film »Taxi Driver« erinnerte, denn es war dem gesamten östlichen Umfeld des Hauptbahnhofs damals eine drückende soziale Schwüle anzumerken und ein so genanntes reinigendes Gewitter zu befürchten – die Heraufkunft eines entschlossenen Mannes, der eines Tages kommen, den Colt ziehen und das gesamte Elend aus dem Bild ballern würde. Die drogensüchtigen Prostituierten standen lethargisch wie zerzauste Kiefern im Wind, der jetzt kalt die Straße entlangpustete und weggeworfene Papiertaschentücher gegen ihre dünnen Beinchen wirbelte. Ich fragte mich, ob das nun eher Sadisten oder Masochisten sind, die Männer, die für Sex mit derart hoffnungslos zerstörten Frauen Geld bezahlen, als ich den gehetzten Blick in Darlins Augen bemerkte.

Ich fragte, was los sei, sie antwortete aber nichts, sondern schaute konzentriert und ärgerlich zum Hauptbahnhof hinüber. Ich brauchte eine Weile, bis ich ebenfalls den Haken schlagenden Afrikaner inmitten der herumwimmelnden Pendler bemerkte. Und die beiden Polizisten, die hinter ihm her waren. Als sie ihn hatten, strampelte und wehrte sich der Mann aus Leibeskräften und stieß gurgelnde Schreie aus. Die Polizisten trugen Handschuhe, fuhrwerkten ihm damit im Mund herum und holten schließlich kleine Kugeln heraus, von denen man aus Fernsehreportagen über den knallharten Job der Polizisten vom Revier St. Georg weiß, dass es sich dabei um Rauschgift handelt; und so wie die Polizisten sich da aufführten, mit dieser Balance aus Härte und zur Schau getragener Korrektheit, wirkte auch das schon wieder wie im Fernsehen, oder so, als seien sie diejenigen, die die Schauspieler von Krimiserien wie »Großstadtrevier« nachahmen und nicht umgekehrt. Mir taten diese Schwarzen immer ziemlich Leid. Die hatten sich womöglich ein besseres Leben vorgestellt als zu Hause, und dann mussten sie sich entweder als Dealer verdingen und von Polizisten zur Sau machen lassen – oder sie mussten irgendeiner dicken Weltmusikmutti den Kinderwagen schieben, und dabei sahen sie meistens noch unglücklicher aus.

Als die Aufregung sich wieder gelegt hatte, ging Darlin trotzdem noch nicht weiter, sondern wartete erst pedantisch, bis die Fußgängerampel Grün zeigte.

Drüben am Bahnhof husteten uns dreißigjährige Greise mit dünnen Körpern, dünnen Haaren und dünnen Stimmen das Wort »Schorre«, ein Synonym für Heroin, am Ohr vorbei, so als sprächen sie eigentlich mit sich selbst. Die apathisch weggedrehten Augen der Junkies standen in einem bizarren Kontrast zu der Hektik und dem Gerempel um sie herum. Gespannte Aggression lastete über dem südlichen Durchgang durch die Bahnhofshalle, wo lauernde Blicke unter tiefen, dunklen Haaransätzen hervorgekrochen kamen und alle ganz automatisch ihre Taschen fester griffen und wo ich mich ebenso ganz automatisch größer machte und breiter ging und dunkler dreinblickte als normal, während Darlin sich noch kleiner machte, als sie ohnehin schon war. Darlin bestand auf dem Kauf von S-Bahn-Fahrscheinen zum vorgeschriebenen Tarif ohne irgendwelche Betrugsversuche, und das galt auch für uns. Als sie dann aber sah, dass der Bahnsteig in blauen Fahnen und Trikots ertrank, weil der HSV am selben Abend offenbar ein Heimspiel hatte, was ja immer Stunden vorher schon zu einer sehr alkoholisierten Stimmung im ÖPNV führt, machte sie auf der Treppe wieder kehrt. Trotz der bezahlten Fahrscheine.

Ob ihr irgendetwas fehle, fragte N. zaghaft wütend.

»Ja, Papiere«, erklärte Darlin.

Deshalb ging sie Problemen aus dem Weg, noch bevor sie sich ergaben.

Deshalb vermied sie es, vor, hinter und neben Schwarzen zu stehen und gehen. Dasselbe galt für Punks, Junkies, Trinker, südländische Jugendliche und Fußballfans.

Deshalb blieb sie an roten Ampeln stehen und achtete genau darauf, ohne ein gültiges Ticket nicht mal einen Fuß in den fahrscheinpflichtigen Bereich der U-Bahn zu setzen.

Ihre Welt war ein Mikadospiel. Aber ich war nicht davon

überzeugt, dass sie es gewinnen konnte. Denn wer unter keinen Umständen auffallen will, tut es in der Regel genau dadurch erst recht. Davon kann man sich jederzeit sehr eindrucksvoll überzeugen, indem man auf einer stark befahrenen Straße sofort bremst, sobald die Ampel von Grün auf Gelb springt – so will es zwar die Straßenverkehrsordnung, weil aber trotzdem niemand damit rechnet, wird man auf diese Weise schnell zum Mittelpunkt spektakulärer Auffahrunfälle. Konformes Verhalten besteht nun einmal aus lauter kleinen Gesetzesübertretungen, das macht es so schwierig.

Darlin betrieb aber eine Strategie der Anpassung, die alles in den Schatten stellte. Ihre graumäusige Kleidung diente einer vollständigen sozialen und ästhetischen Tarnung – ganz anders als etwa das militärisch gescheckte Camouflagemuster der US-Uniformen, das zu diesem Zeitpunkt mehr in Mode war denn je. Möglicherweise wird das Ende des kalten Krieges und der Beginn der so genannten neuen Weltordnung durch weniges deutlicher illustriert, als durch das Aufkommen der weiß und grau geschenkten US-Uniformen aus dem Golfkrieg von 1991, die sehr sinnfällig von der Verlagerung der Konfliktszenarien aus den grünen Wäldern des Nordens in die Wüsten des arabischen Raumes erzählten. Es war allerdings nur die Farbe, die sich der Weltlage anpasste. Das Muster blieb formal dasselbe. Geklecker. Heute sehen Soldaten auf der ganzen Welt so aus, als könnten sie nicht vernünftig essen. Den triumphalsten Siegeszug hat die bekleckerte Uniform aber unter der westlichen Jugend in den Städten gefeiert, wo sie in ihr Gegenteil umgeschlagen war und vor dem betonierten Hintergrund der urbanen Kultur das Gegenteil von Tarnung bewirkte.

Ich hatte deshalb immer schon einmal wissen wollen, wie eine städtische Entsprechung des Tarnmusters aussehen müsste, ein Püree aus den Eindrücken, die Reklame, Beton und Alltag auf der Netzhaut so hinterlassen. Und ich hatte immer gehofft, irgendein zeitgenössischer Künstler würde das mal herausarbeiten. Ich fand es aber dann nicht in einer Galerie, sondern in Darlins Aufmachung, mit der sie tatsächlich nahezu unsichtbar wurde. Es war äußerst bemerkenswert, wie diese Frau, die ihr Geld mit dem Zurschaustellen körperlicher Reize verdiente, ebendiese Reize auf der Straße vernebeln musste, damit sie keine Aufmerksamkeit auf sich zog.

Die einzige Sorge, die ich hatte, waren wir. Ich trug eine Bomberjacke und N. sein Gesicht. Dafür konnte er nichts. Aber er sah nun einmal nicht so gutmütig aus, wie er in Wirklichkeit war. Zum Glück sprachen wir beide nicht übertrieben Dialekt. Man kann sich ja vorstellen, wie das dann vermutlich ausgesehen hätte: Zwei Nazis aus dem Osten verfolgen eine hilflose südländische Frau. Couragierte Passanten zeigen erst Gesicht und dann Courage, verprügeln einen mit Lichterketten, und zum Schluss will die Polizei von allen die Papiere sehen, und Darlin hat keine.

Zu meiner Überraschung wurden an Darlins Seite dann aber auch wir immer unsichtbarer, je weiter wir nach St. Pauli, zur Reeperbahn, vordrangen. Eigentlich war dort alles wie immer. Reisebusse hielten vor dem Musicaltheater, wir liefen durch eine Gruppe frisch frisierter Seniorinnen, die sich auf eine schöne Aufführung von »Cats« freuten. Männer in den Wechseljahren streunten Witze reißend zwischen den Sexshops und Kneipen herum. In den Wechseljahren sind Männer ab ihrem 35. Geburtstag, weil es dann definitiv zu spät ist für die Hoffnung, doch noch Profifußballer werden zu können. Viele lassen sich daraufhin Schnauzbärte wachsen, strolchen über die Reeperbahn und versuchen mit ein paar Kumpels und ein paar Zoten gegen den Schwund ihrer Jugend anzulärmen. Später am Abend würden unter Garantie auch ein paar überdrehte Frauen ihres Alters auftauchen, mit Nachthemden oder Pippi-Langstrumpf-Kostümen; diese so genannten Jungesellinnenabschiede sind ein Brauch, den es wahrscheinlich nur in Hamburg gibt, oder sogar nur auf der Reeperbahn, wo also eigentlich alles so aussah wie immer, aber trotzdem für mich ganz anders war.

Erstmals lief ich über den allmählich in die Dunkelheit hineinerwachenden Kiez, ohne alle drei Schritte in zwielichtige Showschuppen hineingebeten zu werden. Die Aufreißer vor den Türen brüllten mich ausnahmsweise nicht an, ich solle jetzt gefälligst mal da reingehen in ihre Bumsschuppen und »ein bisschen Spaß haben«, sondern die winkten Darlin zu wie gerührte Väter ihrer Tochter auf dem Weg zur Schule. Darlin kannte fast jeden, der da irgendwas arbeitete, und alle kannten Darlin und nickten ihr zu. An ihrer Seite nahm die gefühlte Temperatur dieser Gegend stark zu. Die Leute schauten nicht mehr ganz so hart und kalt und als ob sie alle nur mein bisschen Geld wollten. Sie sahen N. und mich gar nicht. Wir waren in einen anderen Zustand übergewechselt.

Auf der Großen Freiheit bog Darlin in ein »International Telephone Center« und erzählte ihren Verwandten in Kolumbien zu einem sehr günstigen Fernsprechtarif, was für ein schönes, strahlendes und paradiesisches Land Deutschland sei und wie gut es ihr hier gehe. In den anderen Kabinen wurde in anderen Sprachen Ähnliches erzählt, vermute ich jedenfalls.

Wer einmal eine richtig zynische Imagekampagne für Deutschland machen will, muss nur mit dem Mikrofon in so ein Telefoncenter gehen, wo Immigranten in allen Sprachen dieser Erde derart unglaubliche Loblieder auf Deutschland in die Telefonhörer lügen, als hätten sie die Pistole des Innenministers an der Schläfe.

Andererseits: ich erzählte ja zu Hause auch nicht als Erstes, dass es in Hamburg stellenweise sehr streng nach Urin riecht. Und zwar ganz besonders in Darlins Hauseingang. Dort stand ein älterer Mann und machte sich gerade den Hosenstall zu, als wir vorbeiwollten. Das ist ganz klar: Wo so viel Dosenbier auf der Straße getrunken wird wie in Hamburg, muss es auch auf der Straße irgendwo wieder raus. Der Mann sagte verwundert »Oh«, als wir vorbeiwollten, so als habe nicht er in einen Hauseingang gepinkelt, sondern als würden wir ein Urinal als Hauseingang benutzen. Vieles sprach dafür, dass *er* Recht hatte. Der Beton der Türeinfassung war schon ganz porös. Der Uringeruch stand auch noch jenseits der Tür im Treppenhaus und ging erst ein paar Treppen weiter oben allmählich im Geruch von gekochtem Reis unter. Der Reisgeruch kam unter Türen hervorgekrochen, hinter denen laut Darlin junge Thailänderinnen wohnten. Die Mieterstruktur hing eng mit dem dominierenden Gewerbe der Gegend zusammen.

Darlin bewohnte ein sehr enges Appartement, in dem sich zusätzlich zu den ihrigen noch die abgestellten Habschaften anderer Leute stapelten, vielleicht von Frauen, die sich zu diesem Zeitpunkt gerade in Abschiebehaft, im Flugzeug, in ihren Herkunftsländern oder bereits auf dem Weg zurück nach Deutschland befanden. Nur über dem Bett hatte sie eine Ecke privat ausgestaltet. Dort hingen ein paar Fotos. Die meisten zeigten sie selbst. Meistens lachte sie in die Kamera. Und einmal hielt sie dabei ein kleines Mädchen auf dem Arm. Das sei ihre Tochter, sagte Darlin, während sie uns zwei Büchsen Bier aufriss und in Gläser goss.

<hr />

Darlin hatte ihren Namen von sehr liebevollen Eltern erhalten, die die Dinge nun mal so schrieben, wie sie sie aussprachen. Und es ist ja erst einmal gar nicht das Schlechteste, mit einem spanisch dahingehauchten englischen Kosewort als Namen durch die Welt zu gehen. Aber ein ganzes Leben kann man mit dieser vor sich hergetragenen Freundlichkeit natürlich auch nicht bestreiten. Zumindest nicht in Kolumbien. Die Leute dort reden zwar alle mit einem sehr zärtlichen und einschmeichelnden Klang in der Stimme, aber was sie inhaltlich sagen, steht dazu oft in einem gewissen Gegensatz, und die gezückten Pistolen natürlich auch.

Es ist eine statistische Tatsache, dass die häufigste Todesursache männlicher Kolumbianer nicht wie bei uns der Herzinfarkt oder der Krebs ist, sondern die Pistolenkugel. Das macht es für die Frauen auch nicht unbedingt einfacher.

Darlins Vater war Busfahrer, die Mutter Hausfrau und einer der Brüder »Leibwächter«, bei wem auch immer. Sie war da aufgewachsen, wo das Häusermeer der Großstadt anbrandet, wo keine gläsernen Hochhäuser mehr Wellen schlagen, wo Schuppen und Hütten und Garagen und Brachen und Ausfallstraßen wie ein flaches, übel riechendes Brackwasser durcheinander schwappen. Nicht Stadt und nicht Land, sondern dieses Zwischenreich, das sie in Nordamerika *Sprawl* nennen, und das in Südamerika aber eben nicht aus Einfamilienhäusern mit Pools besteht, sondern aus Blech und Beton; und da, wo der Asphalt abbricht, bricht sofort glühend die rote lehmige Erde durch, die diesen Kontinent immer aussehen lässt, als hätte er eine Stinkwut: die offen pochenden Halsschlagadern Lateinamerikas.

Dort war Darlin aufgewachsen, dort hatte sie Stunden stoisch stehend auf den Bus gewartet, der sie unter asthmatischem Fauchen gelegentlich in die Innenstadt und in ein Leben transportierte, für das sie nie genug Geld in ihrer kleinen gehäkelten Umhängetasche hatte. Immer wenn ich irgendwo in Südamerika diese stillen, geduldigen Mädchen an den Haltestellen der großen Ausfallstraßen verblühen sehen habe, musste ich ausgerechnet an die DDR denken. »Stirb nicht im Warteraum der Zukunft« war dort ein Spruch poetisch ambitionierter Wändebekritzler gewesen. Und dabei war das bloß ein ganz kleines Land, das nur vierzig Jahre lang von seinen haltlosen Zukunftsversprechungen lebte. In Lateinamerika ist das auf einem ganzen Subkontinent nun seit einem halben Jahrtausend schon so.

Irgendwann hatte Darlin dann eben Amerika den Kontinent der Zukunft sein lassen und ihre eigene Zukunft lieber mit dem alten Europa verknüpft. Sie war eines jener Mädchen gewesen, die abwechselnd Tiermedizin studieren, Schauspielerin werden oder als Model Geld verdienen wollten. Am Ende der Illusionen hatte sie in Botafogo, dem Touristenviertel von Cartagena de Indias, gemeinsam mit einer Freundin ein paar Leute aufgesucht, von denen es hieß, dass sie spezielle Kontakte nach Deutschland hätten. Sie wusste, was sie da tat, und sie wusste, was sie hier tun sollte. Sie war kein naives kleines Mädchen, das sich von Goldkettentypen am Strand etwas hat einreden lassen. Sie wusste, dass sie nicht als Kellnerin oder Au-pair oder Zimmermädchen arbeiten würde. Sie wusste, dass ihr Kapital ihr Körper war, und später lernte sie nur einfach noch dazu, dass die Gewinnmargen wuchsen, je mehr sie davon einsetzte.

Erst hatte sie nur getanzt in einem Lokal auf der Großen Freiheit in Hamburg, dann war sie eines Tages auch mit in die Separées gegangen. Da, erzählte Darlin, habe sie eine Grenze überschritten. Aber dann war sie eben auf der anderen Seite, und wenn schon, denn schon. Sie war schließlich nicht zum Spaß hier. Und es lohnte sich, auch wenn die ersten größeren Ersparnisse für die Bezahlung ihrer Vermittler drauf gingen und für die Scheinehe. 20 000 DM für die Abwicklung einer Eheschließung mit einem deutschen Mann in Dänemark. So war N. in ihre Geschichte hineingeraten.

Eine wirkliche Hochzeit hatte es nicht gegeben, zumindest keine nach Darlins dann doch immer noch sehr katholischen Begriffen von Glanz und Würde. Es war ein nüchterner Verwaltungsakt im Büro eines dänisches Standesamtes gewesen, oder womöglich auch in einer evangelischen Kirche. Büros, evangelische Kirchen, Lagerhallen – was macht das für einen Unterschied für eine Katholikin aus Südamerika? Eigentlich war sie sogar ganz froh gewesen, dass es so schmucklos und bürokratisch ablief, sonst wäre sie vielleicht doch noch sentimental geworden. Sie hatten in einem Hotel übernachtet und, weil sie sich wenig zu sagen hatten, umso mehr getrunken. Dann hatten sie in getrennten Zimmern geschlafen. Mit einem Blick auf N., der nicht verstand, was sie mir erzählte, fügte sie hinzu: Sie habe Geld, das sie dafür bekommt, dass sie sich anfassen lässt, hier nun gewissermaßen dafür ausgegeben, dass sie sich nicht anfassen lassen muss.

Darlin gewöhnte sich an, ihr Leben in Deutschland strikt ökonomisch zu betrachten. Wärmere Gefühle sparte sie sich für Dinge auf, die mit ihrer Heimat zu tun hatten. Telefonate, Geldsendungen, Urlaube. Eine Folge davon war, dass sie bei einem dieser Heimataufenthalte schwanger wurde. Sie gab das Kind in die gemeinsame Obhut des Vaters und ihrer eigenen Eltern und kam wieder nach Deutschland.

Jetzt begann eine Phase, in der sie die Fotos immer pummeliger zeigten. Sie arbeitete in so genannten Modellwohnungen. Da lag sie mehr oder weniger den ganzen Tag nur herum. Wenn jemand obendrauf lag, war das gut, dann brachte das Geld, und wenn nicht, dann war es langweilig, und sie vertrieb sich die Zeit mit Essen. Im Laufe der Zeit hatte sie unzählige Male die Modellwohnungen gewechselt, die sie sich jeweils mit drei oder vier Frauen aus Osteuropa teilte, und war dabei immer weiter in den Süden Deutschlands geraten, wo die Leute offensichtlich nicht nur reicher, sondern auch einsamer sind als im Norden und noch mehr Geld für Sex ausgeben.

Dafür ist da unten aber auch die Polizei weniger tolerant, und bei einer dieser Razzien hatten sie Darlin unter einem beleibten badischen Bauunternehmer hervorgezogen und sie umstandslos in die Abschiebehaft gesteckt. Nach ein paar Wochen in Bielefeld war sie dann in ein Flugzeug nach Bogotá gesetzt worden, wo sie auf eigene Faust sehen durfte, wie sie es ohne Bargeld quer durch Guerrilla-Gebiete irgendwie bis nach Hause schaffte. Denn alles Geld, was sie dabei hatte, war ihr weggenommen worden – und sie hatte trotzdem immer noch Schulden bei der Bundesrepublik Deutschland für den Flug und sogar für Unterkunft und Verpflegung im Gefängnis, als sei das ein Hotel.

Als sie jetzt wieder zurückgekommen war, über Belgien und dann im Auto über die Grenze, hatte sie sich erst einmal den Job als Tänzerin besorgt.

Sie war wieder einen Schritt zurückgegangen und verkaufte nun nicht mehr ihren Körper, sondern nur noch dessen Anblick. Sie hatte darüber nachgedacht, Fotos machen zu lassen oder mit einer Webcam ins Internet zu gehen, das war inzwischen lukrativer geworden als die Stripschuppen. Aber das Internet wird auch in Kolumbien genutzt. Jemand könnte sich auf so eine Seite verirren. Das wäre eine Katastrophe. Was ihre Familie denn denke, was sie hier macht, fragte ich Darlin, und da zuckte sie die Schultern und sagte, tanzen. Sie hatten nicht weiter nachgefragt, sie wollten es nicht genauer wissen. Bilder aus dem Internet würden diesen milden Nebel aber für immer zerreißen. Selbst in Jahren noch, wenn Darlin mit ihrem Geld vielleicht eine halbwegs glückliche Existenz zu Hause aufgebaut hätte, gemeinsam mit ihrer Tochter und deren Vater, würden diese Bilder unauslöschbar durch das Netz geistern.

Darlin sagte, sie wolle jetzt einfach nur noch ein paar Jahre konzentriert und in Ruhe als Stripperin arbeiten und dann mit dem Ersparten zurück zu ihrem Kind und ihrer Familie. Ein kleines Geschäft aufmachen. Das hätten die Gastarbeiter auch immer vorgehabt, wandte ich ein. Sie meine es aber ernst, sagte Darlin. Später habe ich sie gelegentlich auch ganz vergnügt erlebt, wenn wir in billigen Imbissrestaurants saßen und sie herumgealbert hat und dabei fast unbeschwert wirkte – dann ließ sie sich für Momente ein auf dieses Leben und dieses Land. Manchmal, wenn ihre Tage gar zu lang gewesen waren auf der Drehbühne und die Abende gar zu grau draußen auf dem Heimweg, dann beging sie Disziplinlosigkeiten und gönnte sich ein paar Freuden: Kino, Musik, Klimbim, aber anderentags, wenn sie wieder strenger zu sich selbst war, bereute sie, dass sie ihr Geld für Tröstungen verschwendet hatte, die so flüchtig waren wie Drogenräusche.

Dann sagte sie sich wieder, dass sie nicht das Ziel aus den Augen verlieren dürfe, nicht weich werden, nicht einknicken und einschlafen wie die vielen Türken, die hier hängen geblieben waren. Ihre Haltung zu Deutschland war von asketischer Härte. Ein Land, das sie als Illegale behandelt und noch für die Abschiebung kassiert, ist keines, in dem man es sich gemütlich macht, da bleibt das Verhältnis geschäftsmäßig. Auch Deutschland war nur ein Durchgangszimmer, ein Warteraum ihrer Zukunft, und sie fände es schrecklich, sagte Darlin, wenn dieses Land für sie vom Mittel zum Zweck schleichend zum Zweck selbst würde. Wenn sie hier auch noch all ihr Geld wieder ausgäbe, dann würde sie sich von sich selber über den Tisch gezogen fühlen – weil sie den deutschen Männern ja schon alles gegeben hatte, was sie zu bieten hatte. Sie fand, sie sollte etwas nach draußen, nach Hause mitnehmen dürfen. Sie habe sich ihren Traum vom Glück zu Hause hier hart genug verdient. Jetzt wolle sie nur noch in aller Ruhe so viel verdienen, dass es auch wirklich reicht. Und dazu sei es nötig, dass N., ihr Scheinehemann aus Rostock, den Verpflichtungen nachkomme, die er durch die Annahme ihres Geldes eingegangen war, und für die Behörden mit ihr eine einwandfreie Ehe simulierte.

Sie hatte das alles trotz des vielen Biers, mit dem sie ihre raufasrige Stimme zwischendurch immer wieder geglättet hatte, sehr klar und sehr nüchtern erzählt. Sie wirkte viel müder und erwachsener, als die Ansammlung von Plüschtieren am Kopfende ihres Bettes glauben machen wollte.

Dann übersetzte ich ihr, was N.s Problem war. Und dass sie beide also exakt entgegengesetzte Interessen hatten.

Verheimlichen konnte N. die Sache vor seiner zukünftigen

Frau ohnehin nicht. Die Ehe mit Darlin konnte den Standesbeamten nicht verborgen bleiben. Er musste sie annullieren lassen. Er musste Darlin außer Landes schubsen, um seine Freundin heiraten zu können. Wenn er Darlin gegenüber kein Schwein sein wollte, müsste er es gegenüber seiner schwangeren Freundin sein, die nicht mit vagen Ausreden um ein paar Jahre vertröstet werden wollte.

Ich habe alle Beteiligten aus den Augen verloren, als ich kurz darauf genug von Hamburg hatte und nach Berlin zog. Dort sprach mir Darlin aber später auf den Anrufbeantworter, dass jetzt alles in Ordnung sei. Sonst nichts.

Aus dem Gesicht von N. hatte ich jedenfalls herauslesen können, dass er jetzt sehr, sehr ernsten Zeiten entgegensah, als wir in jener Nacht Darlins Zimmer verließen und durch den Reisgeruch die Treppen wieder runterstiegen.

»Ossis sind Türken«

Manche meinen, die deutsche Ausländerpolitik stinkt. Ich finde, sie riecht jedenfalls streng, und zwar meistens nach Reis in engen Treppenhäusern. Das war in der DDR schon so.

Dieser Geruch kam auch im Sommer 1990 durch die Flure und die Treppen eines Plattenbau-Wohnheimes für vietnamesische Vertragsarbeiter in Dresden-Reick genebelt. Und dieser Geruch kam selbstverständlich auch aus der Tür von Ai Tangh und Nogh Tangh. Zwei Vietnamesinnen, die beide mit Vornamen Tangh hießen, nicht mit Nachnamen. Der Nachname kommt bei den Vietnamesen immer zuerst, und bei mehr als der Hälfte aller Vietnamesen lautet er Nguyen. Das war es jedenfalls, was ich verstanden hatte im Laufe unserer nicht ganz einfachen Unterhaltung während einer Zugfahrt. Ich hatte mich ein bisschen als ihr Beschützer aufgespielt und dafür eine Einladung ins Wohnheim bekommen, die vielleicht auch nur höflich und keineswegs ernst gemeint war. Aber ich ging trotzdem hin. Ich wollte endlich mal sehen, wie die Vietnamesen so wohnen.

Das Wissensdefizit über Ausländer war im Osten gewaltig. Sogar die paar Brüdervölker, mit denen man es immer zu tun gehabt hatte, waren eigentümlich fremd geblieben. Nach unzähligen Aufenthalten in der CSSR kann ich über die Jugendlichen dort nicht viel mehr berichten, als dass sie entweder Modern Talking hörten oder Metallica. Gleichaltrige Polen habe ich im Kinderferienlager immerhin ein bisschen näher kennen lernen können; seit den frühen achtziger Jahren gab es da ein

Austauschprogramm. Die polnischen Jungs waren alle sehr sportbegeistert und unternehmungslustig. Befremdlich fand ich nur, dass sie sich prinzipiell in Unterhosen duschten und gelegentlich dem Schwächsten unter ihnen einen Besenstil in den Hintern stopften. Oder eine mehrere Wochen beim Fußball getragene Socke in den Mund. Die polnischen Mädchen waren überwiegend sehr hübsch und hießen alle Agnieszka. Nach ein paar Ferienlagerdurchgängen hat man die Agnieszkas aber zwangsläufig durcheinander gebracht und die falschen Briefe mit den falschen Beteuerungen an die falschen Agnieszkas geschickt, und die Sache schlief ein.

Dass der Ostblock an seiner Mangelwirtschaft eingehen würde, zeichnete sich gewissermaßen schon am Mangel von Namen ab. Alle männlichen Bulgaren, die ich jemals getroffen habe, hießen zum Beispiel ausnahmslos Dimitroff. Und mit Vornamen Georgi.

Den anderen ging es mit uns wahrscheinlich ähnlich. Ich weiß von einer Katrin aus Dresden, die von einem Sandor aus Budapest, den sie sehr liebte, mal einen Brief erhielt, der aus zwei glutvoll bekritzelten Blättern bestand, wovon allerdings nur das erste mit ihr zu tun hatte, und das zweite mit einer Katrin aus Dessau.

Dresden. Dessau. Der arme Ungar, dachte ich. Mit einem einzigen Liebesbrief beide Katrins verloren, das war noch effizienter als ich mit den Agnieszkas.

Aber es war symptomatisch. Die Kommunikation kam nie richtig zu Stande. Keiner konnte vernünftig Englisch, und Russisch wurde schon deshalb nie zur lingua franca, weil die Polen und Tschechen die Russen fast noch mehr verachteten als sich gegenseitig und sogar uns. Und das will was heißen. Denn diejenigen, die Polen immer als das lustigste Land des Ostblocks bejubelten, die kamen mitunter ziemlich übel zugerichtet von dort zurück: erst als »Nazi« beschimpft und dann gleich noch als »Russenknecht« zusammengeschlagen.

Noch unbekannter und rätselhafter als die Ausländer im Ausland waren nur noch die im Inland. Als die »Alis«, die Algerier, in den frühen achtziger Jahren wieder abgeschafft wurden, weil sie als nicht besonders pflegeleicht galten, hatten sie eine irrationale Angst vor fliegenden Rasierklingen hinterlassen: Wo die Alis auftauchen, wurde geraunt, da gibt es Ärger, meistens wegen der Weiber, und dann fliegen Rasierklingen.

Was weiß ich noch? Die Kubaner hatten sich offenbar auch nicht alles gefallen lassen und galten ebenfalls als problematisch. Als unproblematisch galten nur die merkwürdig duldsamen Mozambiquaner und Vietnamesen, die wie Sklaven in der DDR herumzuschuften hatten, vom Leben aber weitgehend ausgeschlossen blieben.

Die Vietnamesen waren seit 1980 durch ein Regierungsabkommen ins Land geholt worden, einerseits um Vietnam durch deren Ausbildung zu unterstützen. Und andererseits, um die eigenen geburtenschwachen Jahrgänge auszugleichen – und später auch, weil die Vietnamesen bei besonders fummeligen Arbeitsgängen, zum Beispiel in der Textilindustrie, oft ein feineres und produktiveres Händchen hatten. Aber wer nicht direkt an der Werkbank mit ihnen zu tun hatte, kriegte wenig mit von ihnen. Man hatte sie in Plattenbauwohnheime gestopft, und da saßen sie und blieben unter sich. Diese Vietnamesenheime wirkten noch einmal wie eine düstere Überhöhung all der Attribute, die sich damals ohnehin schon mit dem Plattenbau-Sozialismus verbanden: monoton, anonym, gesichtslos. Vor dem Haus Hunderte baugleicher Simson S 51 (alle in rot) und in dem Haus hinter Hunderten von baugleichen Fenstern Hunderte Vietnamesen, die auch irgendwie baugleich aussahen und ja auch in der Tat, wie gesagt, fast alle Nguyen hießen. Am Ende des meistens fünf Jahre dauernden Arbeitsaufenthaltes durften sie einen Teil ihrer Ersparnisse in zollfreien Waren ausführen. Darunter 5 Fahrräder, 2 Mopeds, 2 Nähmaschinen und 150 Meter Stoff. Was sie eben so am nötigsten brauchten, wenn sie zurückgingen nach Vietnam. Heute kommt einem das nicht unbedingt üppig vor als Ausbeute für die Arbeit von fünf Jahren.

Aber zum Schluss, im Herbst 1989, nahm sogar die Presse davon Notiz, dass Vietnamesen in den Kaufhallen von anderen Kunden angespuckt wurden und dass Verkäuferinnen ihnen kommentarlos die Sachen wieder aus dem Korb nahmen, die sie hatten kaufen wollen. Als eine Zeitung bei einer Umfrage in Schwedt einmal wissen wollte, was die Leute eigentlich haben gegen die Vietnamesen, da kamen ganz erstaunliche Vorwürfe zu Tage: die dürften in den Westen, handelten mit Devisen und schleppten Aids ein. Am gravierendsten aber: die Vietnamesen schneidern heimlich in ihren Wohnheimen Sachen für den Schwarzmarkt und verschwenden dabei Strom.

Was ich auch nie herausbekommen habe: warum sie »Fidschis« genannt wurden und werden. Bis heute denke ich bei dem Wort eher an Vietnamesen als an die Inseln, die wirklich so heißen. Dass der Begriff neutral oder sogar liebevoll gemeint war, kann mir keiner erzählen. Er ist über die Jahre allenfalls ein bisschen wohlwollender geworden, seit sparsame Hausfrauen ihr Obst oder ihre Pullover »beim Fidschi« kaufen, weil der vergleichsweise günstige Preise hat. Heute ist es vermutlich eher so wie in Spanien, wo sie generell zu jedem, der asiatisch aussieht, »chino« sagen. Und letzten Endes trifft diese Indifferenz immer noch am besten die Sachlage in den meisten »Asia Stübchen« von Berlin und Ostdeutschland. Wo immer da schwarze Tunke auf frittierte Pekingenten gekippt wird, oder, jetzt, wo Thailändisch modern ist, auch Kokosmilch auf Morcheln – es ist im Zweifel immer ein Vietnamese, der das tut. (Die Chinesen selber haben ohnehin in den Sushi-Läden genug zu tun.) Die Vietnamesen sind die großen stillen Dienstleister. Sie lächeln, sagen Dinge, die man nicht versteht und schieben einem dann duftende Reispfannen rüber. So war das damals schon in dem Wohnheim von Ai Tangh und Nogh Tangh, wo mich der Pförtner zuerst außerordentlich misstrauisch behandelte, was ich sogar verstehen konnte, denn damals kamen Deutsche in meinem Alter ja höchstens mal mit dem Benzinkanister an seine Tür. Gleichzeitig vermittelte er aber den unschönen Eindruck, als sei er in Wahrheit gar kein Pförtner, sondern ein Schließer, und als würde ich einen Gefangenenbesuch machen. Und so sah es da drin dann auch mehr oder weniger aus. Die Leute hockten in völlig überfüllten Zellen, redeten alle auf einmal auf mich ein, und ich verstand kein Wort. Die Isolationshaft hatte ihre Sprachkenntnisse nicht unbedingt beflügelt. Wir haben dann viel gelächelt und uns zugeprostet und versucht, das Beste draus zu machen. Und genauso läuft das im Grunde noch heute in ihren Asiastübchen und Obstgeschäften. So lief das sogar, als sie die polnischen Schmuggelzigaretten unters Volk brachten. Sie standen fröstelnd in den Straßen, weil ihre Blousons nicht zugingen, wenn sie mehr als zwei Marlborostangen darunter stecken hatten. Ihr Nachschub war im Gebüsch oder unter parkenden Autos versteckt. Und manchmal kam auch ein Landsmann von ihnen, zog eine Pistole und schoss ihnen in den Kopf, aber dann stand am nächsten Tag ein anderer da, der genauso aussah und das Geschäft genauso diskret und zuvorkommend weiterführte. Vielleicht lag es daran, dass Deutsche nie zu Schaden kamen und trotzdem immer billig zu rauchen hatten, dass die Vietnamesen trotz ihrer triadenhaften Schattenexistenzkämpfe nie wirklich als besonders gewalttätige Ausländergruppe ins kollektive Bewusstsein eingedrungen sind.

Bemerkenswerterweise wurde häufig betont, dass »unsere« Vertragsarbeiter-Vietnamesen so gut wie nie beteiligt seien am Zigarettenschmuggel, und wenn doch, dann auf unterster Ebene und nur unter Zwang. Die Hintermänner mit den Revolvern seien hingegen skrupellose Südvietnamesen, die man sich offenbar als vietnamesische Wessis vorzustellen hatte.

Das wiederum hieße, dass rechtschaffene Vietnamesen ohne Revolver gewissermaßen die Ossis unter den Ausländern sind: scheu, bescheiden, bis heute lieber in den Plattenbausiedlungen Ostberlins zu Hause als in den multikulturellen Altbauquartieren von Westberlin, und außerdem immer etwas bieder angezogen. Japanischen Reisegruppen wurde lange Zeit empfohlen, den Osten Deutschlands nur in teuersten Businessanzügen und Opernkleidern zu betreten, damit sie nicht für ärmliche Vietnamesen gehalten und zusammengeschlagen werden.

Wenn die Vietnamesen also möglicherweise den Eindruck machen, dass sie die Ossis unter den Ausländern sind, dann heißt das aber noch lange nicht, dass deswegen, wie man vielleicht denken könnte, die Ossis die Vietnamesen unter den Deutschen sind.

Sondern: »Ossis sind Türken«.

Zu diesem Schluss kam jedenfalls Toralf Staud im Herbst 2003 in der *Zeit*. Ostdeutsche, schrieb er, seien im Grunde typische Immigranten, nur dass das neue Land zu ihnen kam und nicht umgekehrt. Mal davon abgesehen, dass sie als Einzige wirklich kein Land haben, in das sie zurückkehren könnten, außer vielleicht durch Ostalgieshows, ist das eine bedenkenswerte These: dass sich da zwischen dem Zwang des Aufnahmelandes zur Assimilation und dem Bedürfnis der Einwanderer zur Bewahrung gewisser Identitäten mehr oder weniger das Gleiche abspielt, was die Westdeutschen schon von ihren Türken her kennen. Die erste Generation ist verstockt, die zweite versucht sich anzupassen, und die dritte ist wieder bockig und besteht auf der Andersartigkeit. Kann ich nachvollziehen, die drei Schritte habe ich selber in weniger als zehn Jahren geschafft.

Schade ist bloß, dass es für uns keine Kulturvereine gibt, die Pamukkale heißen und wo man in Ruhe Domino spielen kann, sondern nur den MDR.

Außerdem kann man sich assimilieren, wie man will – am

Ende, wenn man sagt, woher man kommt, heißt es jedes Mal: »Hört man ja gar nicht.« Ich weiß zwar nicht, wie häufig ein akzentfrei deutsch sprechender Türke sich diesen Satz anhören muss. Aber ich vermute, auch er wird dann nie genau wissen, ob das nun ein Lob oder ein Vorwurf ist, und worüber man sich mehr aufregen sollte. Immerhin können die Türken froh sein, dass es kaum jemanden gibt, der denkt, er könne die türkische Sprache imitieren. Es reicht, dass so viele denken, sie könnten Sächsisch nachmachen. Viel zu häufig ernten sie dafür Lachsalven. Viel zu selten Gewehrsalven.

Vierzehn Jahre bevor Toralf Staud in der *Zeit* schrieb, Ossis seien Türken, hatte eine gewisse Brigitte Eberle, damals Sprecherin der Hamburger Sozialbehörde, dem *Spiegel* schon etwas ganz Ähnliches gesagt: »Was früher für viele die Türken waren, sind heute die DDRler.«

Ich würde gerne ergänzen: Was früher für viele die Türken leider nicht sein konnten, das sind heute für sie die DDRler. Für diejenigen nämlich, die sich Türkenwitze immer aus politischer und menschlicher Rücksichtnahme verkniffen hatten. Für die gab es jetzt ein Ventil, durch das sie ihn endlich mal rauslassen konnten, den Chauvinismus, den die Natur offenbar auch den politisch Korrekten und Linken mitgegeben hat. Minderheiten, die andere Minderheiten runtermachen, sind sogar bei Liberalen verblüffend oft vom Minderheitenschutz befreit, jedenfalls solange sie Deutsche sind.

Insofern ist »Ossis sind Türken« vorläufig vielleicht weniger eine Tatsache als ein Imperativ, nämlich der, endlich mal die Lautstärke ein bisschen hochzufahren.

Dann könnte man am Ende vielleicht sagen: Auch unser schlechter Geschmack, unsere spießigen Möbel, unsere Aggressivität, unsere Humorlosigkeit und unser Nationalismus sind Bestandteil einer schützenswerten Immigrantenfolklore. Und dann könnte man mit jedem Witz aus der *Titanic* vor irgendeinem Gericht herumzetern.

Wenn man sich stattdessen so scheu und verhuscht und grau verhält wie jene Ausländer, deren Treppenhäuser nach Reis riechen, dann ist man zwar vielleicht ein netterer Mensch, aber eben kein selbstbewussterer; dann ist man auch als Ossi kein Türke, sondern nur ein Vietnamese, den keiner so richtig versteht.

»Ossis sind keine Türken, Ossis sind auf Türken angewiesen«, meinte dann aber wiederum P., der sich viel darauf zugute hielt, »es in Hamburg geschafft« zu haben. Auch er einer aus dem Osten, aber einer, der sich bereits in größtmöglicher Distanz dazu befand und mit der ganzen Verachtung eines Konvertiten darauf zurückblickte.

»Wer jung, gescheit und stark genug ist, zieht weg von dort«, raunte P., »das Leben erstirbt, das Land wird Wildnis …«

Ob er da nicht vielleicht Ursache und Wirkung verwechsle, fragte ich.

»Die Menschen werden dümmer da«, schüttelte er den Kopf, die Bundeswehr habe bei Rekruten aus den dünn besiedelten Gebieten Brandenburgs und Sachsen-Anhalts seit zehn Jahren rückläufige Intelligenzquotienten gemessen.

Abiturienten machten häufig Zivildienst, wandte ich ein. Arbeitslosigkeit, geschlossene Theater, immer nur Pro Sieben – das alles mache es womöglich schwer, das kulturelle Niveau zu halten, selbst wenn man gerne will. Eine soziale Frage.

Nein, wetterte P., der Genpool trockne aus in den Dörfern und Kleinstädten des Ostens. »Die Starken, Schönen und Klugen wandern ab«, sagte er und senkte bedrohlich die Stimme, »was bleibt ist: genetischer Schrott.«

Kann sein, dass ich ein bisschen erschrocken geschaut habe in dem Moment.

»Kein Wunder, dass dort nur noch debile Neonazis nachwachsen«, fuhr P. deshalb eilig fort, man sehe es doch heute schon, wenn Schulkinder von dort auf Klassenfahrt »bei uns in der Zivilisation« auftauchten wie die Bettler aus dem Film »Der Name der Rose«: zerschorft und verdreckt, mit eitrigen Pickeln auf der Glatze und irrem Blick. »Man sagt das ja immer so leicht dahin, dass Neonazis nicht ganz dicht sind, aber die dort sind es wirklich nicht. Die müssten sich, genau genommen, selber euthanasieren.«

Das fand ich ein bisschen übertrieben.

Aber er deklamierte weiter. »Der Osten geht ein, die Städte werden von der Natur zurückerobert, und die Menschen sterben aus wie Dinosaurier, weil sie manövrierunfähig geworden sind, zu große Bäuche haben und zu kleine Köpfe. Die DDR war eine Fußnote der Geschichte, und die Ostdeutschen waren ein Irrtum der Natur.« Dann schwieg er zufrieden und wartete meine Reaktion ab.

Ich schätze, ich guckte nur dumm.

»Der Osten hat im Grunde nur eine einzige Chance«, fing er in jovialem Ton wieder an.

»Welche?«, fragte ich, Hoffnung schöpfend.

»Ausländer. Wer da noch was retten will, muss jetzt ganz schnell Ausländer dort ansiedeln. Am besten Italiener, Türken, Libanesen, Perser. Gut aussehende Südländer. Anders kann das rassische Überleben der Deutschen jenseits der Elbe heute schon nicht mehr garantiert werden.«

Er solle noch heute in die ostdeutschen Provinzen aufbrechen, um dort in dieser Reichsparteitags-Diktion die Rassenschande zu predigen, schlug ich vor.

Aber er winkte nur ab. Das könne man den Italienern, Türken, Libanesen und Persern ja leider gar nicht zumuten.

Deutschsüdwest

Wie das alles bei uns einmal aussehen wird, kann man sich heute schon auf der anderen Seite der Welt ansehen. In Namibia, dem ehemaligen Deutsch-Südwest, schaut das gegenwärtige Deutsch-Nordost nämlich in einen Spiegel, der die Vergangenheit, die Gegenwart und möglicherweise auch die Zukunft zeigt. R. und ich fühlten uns sofort wie zu Hause, als wir dort unterwegs waren. Orte, die auf der Karte aussahen wie Großstädte, entpuppten sich in der Wirklichkeit als verlorene Häusergrüppchen, die ihre besten Zeiten lange hinter sich hatten. Ein Ort wie Lüderitz, wo die Sandstürme durch die leeren wilhelminischen Altbauten fegen, würde, vom slawischstämmigen Namen her, durchaus auch nach Ostdeutschland passen. Wir sahen verwitterte deutsche Soldatenfriedhöfe, wo die Grabinschriften verrieten, dass die hier Vergrabenen fast alle aus Brandenburg oder Pommern stammten. Später aßen wir Schwarzwälder Kirsch zum Bohnenkaffee und schauten in einen wundervollen Laubwald, der als Tapete an der Wand der Konditorei Willi Probst klebte. Und das war erst in Walvis Bay, der einzigen Stadt dort, die immer schon eher britisch geprägt war als deutsch. Die alte Konditorei Willi Probst hätte auch ein ganz neues Café im Schanzenviertel von Hamburg oder in Berlin Prenzlauer Berg sein können. Die Einrichtung entsprach stilistisch sehr exakt dem, was im Zuge der großen Retrowelle der neunziger Jahre in Deutschland gängig war, als sich die Treffpunkte junger, trendbewusster Menschen in Wohnzimmer der Adenauerzeit zurückverwandelten. Aber die

Dinge verhielten sich hier unironischer als sie schienen. Dieses Gefühl, plötzlich wie ein Archäologe im Urwald solche »authentischen« Orte und »intakten« Lebenswelten zu finden, über die die Stürme der Moderne scheinbar spurlos hinweggegangen waren, das kannte ich eher von Fahrten durchs ländliche Ostdeutschland oder die ganz, ganz tiefe westdeutsche Provinz. Es waren Entdeckererlebnisse wie die, von denen mir Westdeutsche erzählt hatten, die das erste Mal durch den Osten gekommen waren und sich am meisten über das eigentlich Evidente gewundert hatten: dass die Leute auch Deutsch sprechen und dass sie wohnen, aussehen, denken wie man selber irgendwann früher.

Swakopmund sah dann zum Beispiel aus wie Warnemünde oder Binz. Nur dass die Straßen dort immer noch nach Kaiser Wilhelm und Bismarck benannt sind und nicht nach Thälmann oder Lenin. Ansonsten, alles wie bei uns: Ein sehr schönes altes Seebad mit wilhelminischer Bäderarchitektur und mit ein paar Rassisten an der Strandpromenade.

Gleich rechts, wenn man reinkommt nach Swakopmund, liegt an der Breiten Straße der Gasthof »Grüner Kranz«. So richtig Gasthof, mit Saal im ersten Stock. Und so richtig »Grüner Kranz« wie der »Krug zum Grünen Kranz«, das Musikantenstadl des DDR-Fernsehens. Im »Grünen Kranz« wollten wir nach dem Weg zu unserem Quartier fragen. Es war Weihnachten, und da es hier nun schon einmal deutscher zuging als zu Hause, waren wir entschlossen, auch den Heiligen Abend deutscher und tannennadliger zu begehen, als wir uns das überhaupt nur vorstellen konnten. Wir hatten telefonisch sogar schon Familienanschluss organisiert. Familie S. wohnte in der Richthofenstraße. Die Richthofenstraße lag außerhalb unserer kleinen Reiseführerkarte. Im Grünen Kranz, dachten wir, würde man uns sicher weiterhelfen können.

In der Gaststube stand der Rauch und die Raucher saßen. Das, was die verwitterten Hüte und wuchernden Bärte von den Gesichtern dieser Männer übrig gelassen hatte, starrte uns angewidert an. Sie sahen aus, als hätte ihnen vor langer Zeit einmal jemand einen Job als Komparse bei den Winnetou-Festspielen in Bad Seegeberg versprochen und sie dann sitzen lassen. Und sie behandelten uns, als seien wir dieser Jemand gewesen. Es konnte kein Zweifel daran bestehen, dass sie uns außerordentlich verachteten, und ich hatte sogar den Eindruck, dass sie eigentlich uns meinten, wenn sie ihre ledernen Würfelbecher mit unnötig viel Karacho auf die Theke hämmerten, hinter der im Übrigen eine farbige Frau stoisch Gläser spülte und das »Hansa« zapfte. Das Bier hieß wirklich »Hansa« und schmeckte auch so. Hinter der farbigen Frau am Zapfhahn klebten drei Aufkleber an der holzfurnierten Wand.

»*Bumst Südwest weiß*!«, stand auf dem ersten.

»Black is Beautiful. But White is White«, stand auf dem zweiten.

Und auf dem dritten: »I like Aids. After Hitler second best.«

Außerdem gab es viele historische »Photographien« in dieser Schankstube, sie hingen eingerahmt in den Sitzecken, und auf jeder war irgendwo Wilhelm der Zweite zu erkennen. Oft sogar gleich mehrfach, und manchmal hatten auch alle Personen auf dem Bild diese Türklinken als Schnauzer unter der Nase.

Die Richthofenstraße? Wir fragten in allen Tonlagen. Hochdeutsch, sächsisch und dann sogar wie Diederich Heßling in der DEFA-Verfilmung von »Der Untertan«. Aber keine Chance. Aus den verfilzten Großwildjägerbärten quollen nur unbrauchbarer Müll und schlechte Witze auf unsere Kosten. Im Grünen Kranze herrschte eine sehr brandenburgische Art der Gastfreundschaft. Westberliner werden wissen, was gemeint ist. Bumst Südwest Weiß. Da ließ sich nichts machen. »Dann fickt euch eben weiterhin selbst«, sagte R. zum Abschied, und dann suchten wir die verdammte Richthofenstraße eben alleine. Sie lag außerhalb der Altstadt, und selbst dort sah Swakopmund immer noch aus wie Ostseeküste. Jetzt allerdings wie sechziger Jahre. Hier standen Eigenheime, wie sie sich früher erfolgreiche Ärzte in West- und clevere Handwerksmeister in Ostdeutschland gebaut hatten, nur viel größer. Familie S. wohnte in einem sehr flachen, aber sehr weiträumigen Bungalow, in dem es zu diesem Zeitpunkt schon stark weihnachtete. Der Christbaum aus Kunststoff war liebevoll mit Lametta und roten Kugeln behängt, in der Küche köchelte ein Schweinebraten dem Abend entgegen, frisch frisierte Kinder tobten unter milden Ermahnungen ihrer stark beschäftigten Mutter um die Dekorationen herum. Herr S. erzählte Witze, denen weniger ihre Pointe als die bedrohliche Autorität des Hausvaters zu Lachern verhalf. Ich hätte gern einen Bart gehabt, um voll Wohlgefallen darüber streichen zu können. Zustände waren das, wie ich sie mir in anständigen evangelischen Pfarrhäusern vorstelle. Und die evangelische Kirche, in die wir nachher gingen, war auch ganz genauso, wie so eine evangelische Kirche zu sein hat. Zwischen hier und zu Hause, zwischen diesem Moment und der Kindheit lagen lediglich 40 Grad Celsius und natürlich die Wasserfälle von Schweiß, die unter dem viel zu warmen Weihnachtsanzug an mir herunterflossen. Als die Orgel losdröhnte, wurde mir ein bisschen schwindlig. Vermutlich hatte ich zu viele »Hansa« getrunken auf der langen Fahrt. Denn die Strecken sind so lang und eintönig dort, dass man sich beim Fahren zwingend betrinken *muss*, um nicht einzuschlafen. Der Alkohol ist nämlich das Einzige, was ein paar Wellen in die Wüste zaubert. Und anders als in Ostdeutschland gibt es hier weder Bäume, die man aus Versehen rammen könnte, noch nennenswerten Gegenverkehr. Und wenn doch, dann sah man den schon einen halben Tag vorher. Einmal hatte allerdings ein Polizist auf der Straße gestanden, den hatte ich überraschenderweise nicht gesehen und beinahe überfahren. Aber als klar war, dass wir Weiße waren und noch dazu aus Deutschland, hatte er seine Pistole wieder eingesteckt und uns freundlich weitergewunken. Ein einheimischer Schwarzer wäre ich in der Situation möglicherweise lieber nicht gewesen.

Mir war zu jenem Zeitpunkt schon ein bisschen schlecht gewesen von dem vielen Bier, und jetzt, in der Kirche, war es auf einmal ganz verheerend. Ich befand mich plötzlich wieder in dem Dresdner Gemeindesaal, wo mir der Pfarrer zur Konfirmation die Hand auf den Kopf gelegt hatte und ich minutenlang in die Tiefen seines herabhängenden Soutanenärmels schauen musste, während er Salbungsvolles sprach, bis mir ganz schwummrig geworden war. Und dann hatte ich den Eindruck, dass dieser Dresdner Pfarrer auch in der Kirche von Swakopmund wieder zu mir sprach. Oder dass der Pfarrer von Swakopmund mit der Stimme des Dresdner Pfarrers redete. Oder zumindest in dessen Dialekt.

Der Pfarrer von Swakopmund kam nämlich aus Moritzburg bei Dresden, erfuhr ich später, als wir mit Familie S. vor deren prachtvollem Weihnachtsbaum saßen. Die Sachsen, sagte Frau S., fühlten sich wohl hier, nicht nur der Pfarrer. Sie habe das auch bei Touristen schon festgestellt, da gebe es »einen gewissen Draht zueinander«. Die Deutschen von Namibia, sagte sie, und man merkte, dass sie nicht wusste, ob sie wirklich fortfahren sollte, die Deutschen von Namibia fühlten sich den Ostdeutschen nahe. Ein bisschen näher jedenfalls als den Westdeutschen, die hier nicht unbedingt bei allen so wahnsinnig beliebt seien.

Und als Herr S. dann brummte, die kämen alle her, wüssten alles besser und bewerteten ständig Dinge, von denen sie keine Ahnung hätten, und erst recht, als er dann fortfuhr, dass man die Geschichte dieses Landes nicht begreifen könne, wenn man hier nicht gelebt habe unter den Bedingungen damals, als er schließlich erklärte, dass seit dem 9. November 1989 nichts mehr so sei, wie es mal war (an diesem Tag hatte die SWAPO die ersten freien Wahlen gewonnen) und dass er seitdem von

Leuten regiert werde, auf die er bei der Armee zu schießen gelernt hatte, und als Herr S. Angst äußerte um das, was sie sich aufgebaut hatten im Zuge eines Lebens, das jetzt jeden Tag in Frage gestellt werde – da lehnte ich mich zurück, und wusste, dass ich mich tatsächlich absolut wie zu Hause fühlen konnte.

Am Ende, als aus den Weihnachtsbaumkerzen mickrige Stummel und aus den Schwarzen im Verlauf der Erläuterungen Bimbos geworden waren, hatten uns die Behaglichkeit und das Heimatgefühl ein bisschen auf den, wie gesagt, alles andere als nüchternen Magen geschlagen – und wir gingen noch ein bisschen spazieren. Das heißt ich ging spazieren. R. hatte unterwegs einen Irish Pub entdeckt und war kurzerhand dort geblieben, während ich die Strandpromenade entlanglief und darüber nachsann, ob ich mich gerade wie ein Westdeutscher fühlte, der bei eigentlich sehr netten Verwandten im Osten zu Besuch ist und nicht recht weiß, wie er mit einigen von deren Ansichten umgehen soll.

Das war der Moment, als mich ein Mann ansprach, der aus einer Thomas-Mann-Erzählung herbeigeschlendert zu kommen schien. Er wirkte ein bisschen wie Johannes Heesters, nur jünger. Statt einer Krawatte hatte er sich ein Tüchlein in den Hemdkragen gebauscht, was ich bisher nur von Herbert von Karajan und ansonsten vielleicht noch von Neumitgliedern der Jungen Union kannte. Er war Ende siebzig, aus Deutschland und wahnsinnig adlig. Sein Nachname klang so, als hätte er die Von's und Zu's eigenhändig da hineingeschossen, mit einer uralten Jagdwaffe aus dem Familienbesitz. Es war der Mann, den ich später in Hamburg zu einer Live-Sex-Show begleiten sollte. Aber um solche Themen ging es damals noch nicht, es ging um Autos, Rennpferde und seine Weigerung, in fremden Ländern Fremdsprachen zu benutzen, wahrscheinlich war er deshalb auch in Namibia hängen geblieben. Er war der erste Mensch, der nicht »Hört man ja gar nicht« sagte, als ich ihm erzählte, wo ich herkam. Sein Kommentar dazu war überraschenderweise: Kuba. Ich müsse auf der Stelle nach Kuba. Dort lägen noch richtige Schätze in den Kellern der letzten verbliebenen Aristokratinnen. Echte Breughels. Fast echte Murillos. Holzschnitzereien. Alles Mögliche. Die Damen seien schon sehr betagt und hätten es ganz gern, wenn sie diese Dinge in kultivierte Hände geben könnten. Nur seien ihm leider seine eigenen Hände ein wenig gebunden wegen des Regimes dort. Wenn ich ihn richtig verstand, war der Einzige, der da was bewegen könnte, ein netter Junge mit kommunistischer Herkunft, umfassenden Kenntnissen auf allen Gebieten sowie tanzstundenhaft brillanten Manieren. Also ich.

Eine Karriere als Omanizer.

An dem Gedanken hatte ich beinahe schon Gefallen gefunden, als ich auf dem Heimweg vor dem Haus der Familie S. einen sehr unglücklichen R. vorfand. Er zeigte betrübt auf ein Auto, dessen Schlüssel er unschlüssig in den Händen drehte. In dem Auto lag eine sehr attraktive, aber auch sehr leblose schwarze Frau. »Ist sie tot«, fragte ich erschrocken. »Ich hoffe nicht«, sagte R. Er hatte sie in dem Irish Pub kennen gelernt, wo sie zu diesem Zeitpunkt bereits stark angeheitert am Tresen gesessen hatte. Der Pub war eigentlich eher eine ärmliche Kellerkneipe mit Tanzfläche gewesen, und die blässliche Barfrau war gleichzeitig auch der DJ. Wenn sie zu viel mit den Getränken zu tun hatte, konnte sie keine neuen Platten auflegen, und dann war Ruhe. Deshalb hatten R. und die Frau beschlossen, die schreckliche Musik durch ständiges Nachbestellen von aufwändigen bunten Cocktails dauerhaft zum Schweigen zu bringen. Das hatte zur Folge, dass die Lautsprecher zwar angenehm leise blieben, aber R. und die Frau immer lauter wurden und schließlich rausflogen. Sie waren dann zu ihrem Auto gewankt, wo R. in der unrealistischen Erwartung amouröser Abenteuer die Frau zu küssen begonnen hatte. Und dabei war sie eingeschlafen. Ihre Zunge war in seinem Mund plötzlich sehr lustlos geworden, und dann hatte sie übergangslos zu schnarchen angefangen und schlaffe alkoholschwere Atemluft in seinen Rachen gepustet. Seitdem hatte sie sich nicht mehr aufwecken lassen. R. war mit dem fremden Auto und mit der fremden Frau kreuz und quer durch die fremde Stadt und alle Vororte gerast, hatte ihrem gelegentlichen Lallen aber nicht entnehmen können, wo sie nun eigentlich wohnte. Weil er selber auch schon sehr betrunken war und mit dem Linksverkehr immer weniger zurechtkam, war er dann kurzerhand strikt auf der Mitte der Straße in die Richthofenstraße gefahren. Und da stand er nun. Ein paar Stunden zuvor hatte er sich noch über den kolonialherrenhaften Rassismus der ortsansässigen Weißen lustig gemacht, und nun hatte er selber eine schwarze Frau im Auto liegen, die nur noch gelegentlich röchelnde Töne von sich gab. In dem Haus der Familie S. betätigte jemand die Klospülung, es war kühl geworden inzwischen, und der Weihnachtsmorgen war nicht mehr fern. Als er längst angebrochen war, klopfte ein erstaunter Herr S. an die Fensterscheibe des Autos, in dem er uns und die schwarze Frau schlafend vorfand. Als sie aufwachte, wirkte sie beschämt und verwirrt, konnte aber jetzt immerhin verständlich machen, wo sie wohnte. Wir brachten sie heim. Und wir selber reisten dann auch bald zurück nach Deutschland, in dessen Nordosten natürlich bei allen Ähnlichkeiten keine Sandstürme durch die leeren Jahrhundertwendehäuser pfeifen wie in Lüderitz. Denn dafür fehlt es dort vor allem am Sand.

Der Weg zurück

Mit dem Zug zwischen Hamburg und Dresden diagonal durch diesen dahinsterbenden deutschen Osten zu fahren, ist immer ein eindrucksvolles Erlebnis gewesen. Die bequemen alten Waggons trugen oft die gleichen gedeckten Farben wie die Ortschaften, die am Fenster vorbeiflogen. Die neueren, weniger bequemen Züge erinnerten immerhin an die Tankstellen, Telefonzellen und Einkaufszentren, die neuerdings in diesen Ortschaften aufgestellt wurden. Kleine Städtchen mit stolzen Kirchen und großen Altbauten mit leeren Fensterhöhlen, durch die der Wind pfiff, der die Bewohner in den Westen gepustet hat. Altbauten, für die anderswo in Deutschland junge Besserverdiener ihren Ruccolasalat stehen ließen. In denen Hamburger Mitdreißiger in hellen Hochwasserhosen und Segelschuhen verträumt über die Profile der Flügeltüren streicheln und Kinderwünsche verspüren würden. Leider tun das diese Leute, wenn sie es überhaupt im Osten tun, ausschließlich und ausgerechnet im Osten Berlins. Dort, wo auch ich eines Tages hingezogen bin, weil ich eigentlich genau solche Leute für eine Weile mal nicht mehr sehen wollte.

Wenn der Zug auf seinem weiten Weg von Hamburg nach Dresden durch Berlin kam, war ich dort zuerst immer nur ausgestiegen, um mir die Beine zu vertreten und mal wieder einen ordentlichen Döner zu essen – wenn ich die Imbissinhaber in Hamburg gefragt habe, warum der Döner bei ihnen doppelt so viel kostet wie in Berlin, dann hieß es immer, in Berlin sei nur Straßendreck da drin. Die meisten Hamburger denken das ja auch ganz generell von Berlin. Und vielleicht gefiel mir es deshalb dort so gut, dass ich immer häufiger ausstieg, erst nur bis zum nächsten Zug, dann für Tage, Wochen, Monate. Und schließlich blieb ich ganz da.

Irgendwann reicht einem das ja auch mal mit Hamburg. Bei aller Liebe, die man auch zu dieser Stadt mit der Zeit und gegen ihren Widerstand entwickeln kann. Es hatte durchaus gute Gründe gegeben, fünf Jahre lang dort auszuharren. Freunde, Freundinnen, das Studium, solche Sachen.

Aber dann gibt es da leider auch diese hanseatischen Hamburger, die mit goldenen Knöpfen am Jackett in den Segelclub an der Außenalster gehen, während ihre Sprösslinge unterdessen nebenan gegen die persische Moschee pinkeln und das verwegen finden. Wenn diese Jungs in meinem Alter sind, tragen sie zum Beispiel ihre Pullover wie nach hinten gehängte Sabberlätzchen. Und ihre Freundinnen haben herausgefunden, wozu das rückseitige Loch in der Baseballkappe da ist, nämlich zum Durchfädeln von blonden Hanseatinnen-Pferdeschwänzen. Solche Pärchen sieht man dort jeden Tag um den ansonsten eigentlich ganz schönen See schlendern und den Erwerb von Booten oder Immobilien besprechen; und edelrassige Hunde tropfen ihnen dabei übermütig Alsterwasser von ihrem gebadeten Fell auf die Topsiders – Schuhe sind das, mit denen ich mich erst dann anfreunden werde, wenn sie ihrem Namen endlich gerecht werden und mitsamt der Füße ihrer Träger nach oben zeigen. Denn für eine Weile ist das alles vielleicht ganz komisch so weit, aber irgendwann kann man sich das einfach nicht mehr mit ansehen und will nur noch ganz dringend ganz weit weg. Zum Beispiel in das dreckige, lärmende, arme und großartige Berlin.

Seit den späten neunziger Jahren gleicht so eine Flucht allerdings dem Märchen von Hase und Igel, und unglücklicherweise ist man dabei der Hase.

Denn in den Straßen, die ein paar Jahre zuvor noch dreckig, lärmig, ärmlich und großartig waren, traf man zu diesem Zeitpunkt seine Ostberliner Freunde schon gar nicht mehr an. Die hatten vor der Sanierung ausziehen müssen. Und stattdessen luden nun die reichen Hamburger Söhne mit den nach hinten gehängten Pullovern ihre Corbusier-Liegen von den Umzugstransportern und ließen sie in Altbauten tragen, die jetzt grün oder rosa gestrichen waren und eine luxuriöse Dachgeschosswohnung aufgepfropft bekommen hatten.

»Top sanierte AB-Wohnung« stand jetzt so oft in den Immobilienanzeigen der Zeitungen, dass es sich las wie ein Fahndungsaufruf nach einem skrupellosen Serientäter mit dem Namen Top, der reihenweise Altbauten mit quietschenden Farben und Laminatfußböden ruiniert.

Makler und Vermieter benutzten immerzu das Wort »Bestlage«. Ich dachte erst, ich hätte mich verhört und sagte: »Nein, es muss nicht der Grunewald sein, für mich tut es schon eine ärmliche Bleibe im Osten, von mir aus auch an einer Hauptverkehrsstraße.« Eben, erfuhr ich: Osten, altes Arbeiterquartier, sehr laut, mehrere Straßenbahnen vor dem Haus, jährlich schwere Ausschreitungen = Bestlage.

Das muss die Vergeltung sein für die allmähliche Verostung der Bundesrepublik: die Verwestung des Prenzlauer Berges mit den verheerendsten Streitkräften, die die alte Bundesrepublik zu bieten hat.

◄━━►

Als später in meiner eigenen, immerhin im Ostteil der Stadt liegenden Wohnung erstaunt angezweifelt wurde, dass ich aus dem Osten komme, wollte ich zuerst lospoltern, dass ich ja auch nicht in Stuttgart Leuten überrascht auf die Schulter haue, weil sie aus Westdeutschland sind. Aber verstehen konnte ich die Verwunderung schon. Richtige Ostdeutsche wohnen in Plattenbauten. Daran lassen Kino und Fernsehen überhaupt keinen Zweifel.

Altbauten sind was für westdeutsche Zuzügler oder verhätschelte Wendegewinnler wie mich. Ich hatte Plattenbauten früher immer verdächtig gefunden. Wer da wohnte, wohnen musste oder wohnen wollte, hatte sich, so empfand ich das, in der DDR und ihren Hervorbringungen eingerichtet. Wohnen als politische Zustimmung. Altbauten erinnerten daran, dass es auch mal etwas anderes gegeben hat, im Guten wie natürlich auch im Schlechten. Wie renitente Rentner standen sie in dieser sozialistischen Welt herum. Vielleicht hat man sie deshalb lange so ungerührt sterben lassen. Und vielleicht sind sie deshalb auch zu so einem Symbol für die Opposition in der DDR geworden, in Greifswald zum Beispiel oder in Görlitz: Dort hatten sich die Bürgerrechtler an ihre alten Häuser gekettet, als schon die Sprengladungen gelegt waren. Deshalb kommen vermutlich auch immer die herausgeputzten »historischen Altstädte« ins Bild, wenn im Fernsehen von den Erfolgen des Aufbaus Ost die Rede ist. Und wenn es um dessen Scheitern geht, dann erfährt man, dass auch diesen schmucken Altbauten die Mieter fehlen. Und dass nun die Frage die ist, was man eher abreißen sollte, damit die Wohnungswirtschaft im Osten nicht völlig kollabiert: immer nur Plattenbauten oder auch wieder Altbauten. Die sozialistischen Hoffnungsträger oder die postsozialistischen. Und jetzt, wo man die Wahl hat, kommt die Wohnung erst recht einem weltanschaulichen Statement gleich.

Wahrscheinlich hätte ich vorsorglich in einen Plattenbau umziehen müssen, bevor ich mich hier seitenlang als mürrischer Ostler geriere. Und zuletzt sah es sogar so aus, als hätte ich damit gleichzeitig auch zu einem besonders trendbewussten Westdeutschen werden können.

Das begann damit, dass 1998 der Künstler Erik Schmidt seine Altbauwohnung in Berlin Prenzlauer Berg aufgeben musste und in den 11. Stock eines Plattenbaus am ehemaligen Leninplatz zog. Ein Plattenbau vom Typ P2/11 mit erhöhtem

Komfort und auffallend geschwungenem Äußeren. Entworfen war er von Hermann Henselmann, dem Stararchitekten der DDR; und die großzügigen Maisonetten waren schon damals als etwas Besonderes für Künstler reserviert gewesen. Schmidt nahm die Tapeten von den Wänden und arrangierte mit sparsamer Hand ein paar Möbelstücke, die sehr schön, sehr schlicht und sehr modern waren. Die Wohnung klang jetzt nach beschwingtem Jazz, und wenn der Berufsverkehr vor dem Haus der Atlantik gewesen wäre, hätte man denken können, man sei bei einem sehr reichen Menschen in Rio de Janeiro zu Gast. Ich habe diese Wohnung nie betreten, aber ich habe sie pausenlos gesehen. Im Herbst 1999 in der Hochglanzzeitschrift *Modern Living*. Kurz darauf in einem Video der Popgruppe Echt, und Mitte 2000 in einem Werbespot für Coca Cola. Später soll die Hausverwaltung ein Drehverbot erlassen haben, weil sich die Nachbarn allmählich gestört fühlten. Dafür informierten mich alle Berliner Tageszeitungen und Stadtmagazine und schließlich sogar Zeitschriften wie *Fit for Fun* und *Max*, dass, wer jung und zeitgemäß ist, heute zwingend in einem Plattenbau mit freigelegten Wänden zu wohnen hat. Ich fühlte mich so alt und morsch wie das Haus, in dem ich leider immer noch wohne, als ich in der Zeitschrift *Home* eine große Fotostrecke über Schmidts Wohnung durchblätterte. Auch der *Spiegel* berichtete. Und dann sogar die japanische *Esquire*. Und im Januar 2002 erfuhr ich schließlich aus der *New York Times*: »In chic new Berlin, ugly is in a way cool.«

Eben war es noch hässlich. Jetzt ist es cool.

Grau, monoton und seelenlos – während der Wendezeit wusste man immer gar nicht, ob die Leute noch dabei waren, über die Plattenbausiedlungen zu schimpfen oder schon über das unfrohe Beglückungssystem der DDR an sich. Das eine schien sich in dem anderen ganz gut abzubilden. Dann haben die Wohnungsverwaltungen, denen die Mieter wegrannten, sehr viel Geld ausgegeben, um die Häuser ein bisschen

»freundlicher« und »individueller« zu gestalten. Die meisten wurden dabei in optimistisch gefärbte Wärmedämmplatten gepackt und liegen jetzt wie verloren gegangene Geschenkpakete in der Landschaft. Und dann kamen die jungen Kreativen aus dem Westen und rissen die Raufaser vom Beton. Am Ende kam sogar ein »Plattenbau-Quartett« auf den Markt: die Spielkarten waren mit verschiedenen Außenwandplatten, Verbindungs- und Giebelsegmenten bedruckt. Es gab zwar keinen »Superstecher«, das wäre bei diesem Thema vielleicht auch unangemessen elitär gewesen – aber beim Pokern mit Geschoßhöhen und Elementgrößen konnten rückständige Altbaunostalgiker wie ich immerhin lernen, dass dieses industrielle Baukastensystem im Prinzip gar nicht so eintönig sein musste, wie man immer dachte. Sondern dass es sogar eine verblüffende Vielfalt von Möglichkeiten bereithält – wenn man es richtig angeht, den Menschen dabei im Blick behält und nicht einfach nur stur einbetoniert wie zuletzt in der DDR. Als ich einigermaßen überrascht zusah, wie auf solchen Wegen der sozialistische Wohnungsbau praktisch heimgeholt wurde in den reformerischen Schoß des sozialdemokratischen Denkens, musste ich dummerweise gleichzeitig daran denken, kurz zuvor den obersten Sozialdemokraten, nämlich Gerhard Schröder, bei seiner Sommertour durch den Osten auf so einem Plattenbau-Balkon stehen gesehen zu haben. Ich erinnerte mich, dass er in diesem Moment so aussah, als hätte er selber sein ganzes Leben lang in der Platte gewohnt. Vermutlich hatte er wieder mal sein Sakko ausgezogen und die Hemdsärmel hochgeschlagen, als er die Arme auf die Balkonbrüstung stützte und in die herbe Landschaft hinausschaute – wie eine Figur aus einem Brigitte-Reimann-Buch, wie einer, der auf dem zweiten Bildungsweg nicht Bundeskanzler sondern Kombinatsdirektor geworden war, wie einer »von uns«. Und was er dort von sich gab, passte beim ersten Hinhören sogar in dieses Bild: dass die Regierung noch mehr Geld für den so genannten

Stadtumbau Ost zur Verfügung stellen werde. Beim zweiten Hinhören passte es nicht mehr. Denn bei einer Million leer stehender Wohnungen ist umbauen vielleicht nicht ganz das richtige Wort, umhauen trifft es eher.

Wichtig wäre mir nur, dass das alles nicht gleich wieder übertrieben wird. Zumindest ein paar Plattenbauten müssten schon noch stehen bleiben, denn die werden weiterhin dringend als Kulissen gebraucht für ostdeutsche Sozialdramen oder für Erfolgsfilme wie »Good bye, Lenin«. Damit meine vielen westdeutschen Freunde aus den Altbauwohnungen um mich herum auch in Zukunft noch etwas haben, womit sie sich in fremde Vergangenheiten hineinfühlen können – und in Utopien, die andere versemmelt haben.

~~~

Von wegen. Stimmt alles gar nicht, was ich die ganze Zeit erzähle. Schrumpfende Städte. Verelendung. Die Jugend wandert ab. Alles Unsinn. Das Erste, was man sieht in den Ortschaften des Ostens, sind immer noch Jugendliche. Jugendliche, die vor nagelneuen Tankstellen an den Kühlerhauben ihrer ziemlich großen Autos lehnen. In den Dörfern bauen sich die Leute Wintergärten an die renovierten Häuser an. Es gibt überall große Küchenstudios und Gas-, Wasser-, Sanitär-Einbaubetriebe. Kauft, wer abwandert oder dahinsiecht, ständig neue Küchen und Klos?

Da fährt man mit einer westdeutschen Freundin durch das bezaubernde Umland von Berlin und weiß irgendwie auch nicht, was man sagen soll. Normalerweise bin ich um Worte und weitschweifige Erläuterungen nicht verlegen; in Verlegenheit bringen einen immer nur die Tatsachen, die einem genau im unpassenden Moment widersprechen. Kaum kommt man mit der westdeutschen Freundin aus einem dieser Brandenburger Seen gekrabbelt, steht da am Ufer ein Glatzkopf, auf dessen Brust in Frakturschrift die Buchstaben RASSIST prangen.

Was sagt man da, wenn man der Freundin zuvor stundenlang ihre Vorurteile auszureden versucht hat? Und was sagt man, wenn die Brust, auf der diese Buchstaben prangen, wirklich eine Furcht einflößend breite Brust ist. Der ist wenigstens ehrlich, sagt man dann – und fragt sich, warum eigentlich gerade dieser Mensch nicht abgewandert oder mitsamt seiner Plattenbaubau-Wohnung gesprengt worden ist.

Wegen der vielen neuen Tankstellen und Küchenstudios haut natürlich auch mein Vorschlag nicht mehr hin, den ganzen Osten als Kulisse für Heimat- oder Weltkriegsfilme teuer zu vermieten. Ganz am Anfang hätte das noch was werden können. Man muss sich nur einmal die Merianhefte über den Osten aus den frühen neunziger Jahren anschauen. Ganz großartig verwunderte Blicke der Fotografen in längst verschwunden geglaubte Erinnerungslandschaften sieht man da. Lange verblasste Kindheitsbilder, die endlich in Farbe zu haben waren. Bauern, die mit Pferdegespannen durch ihre Mecklenburger Dörfer rumpeln wie in mehrteiligen Fernsehfilmen über die schweren ersten Jahre nach dem Krieg. Über die Hauptstraßen watscheln Enten, und die Stadtansichten sind in einen Sepiaton getaucht. Was man damit machen kann, hatten die Filmleute in der DDR schon erkannt. In Görlitz hatten sie an eine Häuserwand »Wählt Thälmann« geschrieben und dann dort nachgespielt, wie der Arbeiterführer mit den Unterdrückten aus den Elendsquartieren für eine bessere Zukunft kämpft. Wie erfolgreich dieser Kampf war, entnahm man dann im Umkehrschluss aus der Tatsache, dass diese Zukunft immer noch genauso aussah und als Kulisse für die Ausgangslage dienen konnte.

In den Neunzigern hat dann das verfallende Packhofviertel von Wittenberge an der Elbe eine beachtliche Karriere als Kriegsfilmkulisse gemacht. Aber dieses Filmland finde ich bei meinen Fahrten immer seltener wieder. Der Feind der Nostalgie heißt Aufbau Ost, und die Autobahnanschlüsse und

Gewerbegebietserschließungen, die er mit sich gebracht hat, ragen nun überall wie gewaltige Anschlussfehler in die Historienbilder hinein.

Wie allerdings das massenhafte Auftreten von Küchenstudios mit dem Absterben von Kulturlandschaften zusammenhängt, kann ich leider auch noch nicht so richtig erklären.

———

Vielleicht verhalten sich diese Dinge zueinander wie Mittelalterfolklore und Heavy Metal. Und diese Kombination beschert ja auffällig vielen ostdeutschen Bands ganz erstaunliche Verkaufszahlen. Wo junge Rocker die Maultrommeln und Dudelsäcke auspacken, weiß man immer: Man ist an den kulturell verunsicherten Rändern Europas. Das ist im spanischen Galicien nicht anders als in der Ukraine, und auf Ostdeutschland trifft das ganz besonders zu, vor allem in Sachsen-Anhalt. In dem wundervollen Fachwerkstädtchen Quedlinburg saß ich mal bei Kaiser Otto dem Großen auf der Wohnzimmercouch. Er trug Puschen zum Purpurmantel, und Kaiserin Adelheid schenkte uns frischen Filterkaffee in die Porzellantassen. Kaiser Otto war im Zivilberuf Polizeihauptkommissar, kam ursprünglich aus Niedersachsen und leitet jedes Jahr den Reichstag von 973, den sie in Quedlinburg mit viel Liebe zum Detail regelmäßig nachspielen. Mit ihm und seinem Schildknappen auf dem gemütlichen Sofa zu sitzen, war ein fast noch bizarreres Erlebnis als ein Konzert mit Mittelalter-Metal.

Ich war gemeinsam mit einem Fotografen aus München unterwegs durch Sachsen-Anhalt. Er war ein eher moderner Mensch, und er schien oft ein bisschen irritiert zu sein von dem, was er da sah und hörte. Ich hatte deshalb immerzu das Bedürfnis, irgendwas zu erklären. Oder zumindest zu entschuldigen. Gleichzeitig wollte ich natürlich nicht allzu sentimental sein. Immerhin war ich hier seit den Zeiten der DDR nicht mehr gewesen, es war eine Reise zurück zu alten Urlaubszielen. Quedlinburg und den Harz hatte ich als sehr schön und idyllisch in Erinnerung. Aber es war jetzt tatsächlich anders geworden dort, weniger selbstverständlich, anstrengender. Die Tourismusleute legten überall eine Inbrunst an den Tag, die einen argwöhnisch machen musste, die auf große Verzweiflung und noch größeres Misstrauen uns, den Medienmenschen aus dem Westen, gegenüber schließen ließ. Sie hielten auch mich für einen Westdeutschen, und sie erwähnten jedes Mal, dass es die glatzköpfigen Jungs mit den Bomberjacken vor dem Bahnhof ganz genauso auch im Westen gebe. Wir hatten gar nicht danach gefragt. (Aber wenn der Münchner mich gefragt hätte, dann hätte ich ihm vielleicht was Ähnliches gesagt.) Sie zeigten ihre schmucksten und ältesten Häuser und sprachen am liebsten über Otto I. und das Mittelalter, und am wenigsten gern sprachen sie über die Gegenwart. Der Fotograf hörte nie richtig hin und knipste immerzu Schaufensterauslagen und Verkehrsschilder. Das machte die Leute noch misstrauischer. So als sei die Vergangenheit das Eigentliche und in ständiger Gefahr von der Gegenwart kompromittiert zu werden.

Sachsen-Anhalt, erklärte ich dem Fotografen, ist das Land mit dem vielleicht traurigsten Nachwende-Image. Bei Sachsen-Anhalt, hatte ich einen hohen Repräsentanten des Landes einmal klagen hören, bei Sachsen-Anhalt dächten alle leider immer nur an die hohe Arbeitslosigkeit. Und von den großartigen mittelalterlichen Kulturschätzen, von denen Sachsen-Anhalt mehr hat als irgendein anderes Bundesland, glaubten die Leute stur, die stünden alle in Sachsen. Dabei war Magdeburg vor tausend Jahren nicht nur so etwas wie eine Hauptstadt Sachsens, sondern eigentlich auch ganz Europas. Dass die Menschen dort also immer wieder mal tausend Jahre zurückgreifen, um sich ein bisschen heimischer zu fühlen, das ist soweit ganz nachvollziehbar. Ermüdend war nur, dass uns fast in jeder Stadt irgendwer in Strumpfhosen und historischem Kostüm über den Weg lief.

In Querfurt hatte ich Angst, der Fotograf kippt vor Überdruss in die Zisterne, als uns der Leiter des Burgmuseums in Ritterrüstung gegenübertrat und zu den ganz großen historischen Bögen ausholte. Mir tat der Münchner Leid. Mir tat aber auch der Querfurter Leid. Seine Burg war sieben mal größer als die Wartburg und um ein Vielfaches unbekannter. Vor allem die Wallanlagen waren ihm wichtig, und er war traurig, als ich nach drei Stunden Erläuterung um ein Ende bat. So lange hatte ich ihm schon deshalb sehr aufmerksam zugehört, um den stumm vor sich hin leidenden Münchner zu ärgern. Es gab ja sonst auch wirklich nicht viel Bemerkenswertes dort. Seitdem der Jugendklub abgebrannt ist, erzählten sie uns mit wegwerfender Handbewegung, gab es nur noch die Tankstelle als Treffpunkt oder den Puff draußen auf dem Feld. Wir tranken erst ein Bier an der Tankstelle, und dann noch eins an der Bar von dem Puff. Dem Münchner war das alles sehr zuwider. Im unbeliebtesten Bundesland des Ostens auf einem Acker im Puff an der Bar. Nichts, was man zu Hause erzählen möchte. Aber ich setzte das durch, damit er die ganze Wahrheit sieht – und außerdem ging es ja nur um ein Bier, »Zusteigen bedeutet«, wie weiter oben ausgeführt, schließlich »nicht gleich Hinlegen.« Immerhin kam die Bardame nicht einfach aus Eisleben, sondern aus »Lutherstadt Eisleben«. So viel zum Geschichtsbewusstsein auch im dortigen Rotlichtmilieu.

Es hätte mich aber auch nicht gewundert, wenn sie sogar dort Kettenhemden oder Leinengewänder getragen hätten. Denn es ist schon wirklich sehr erstaunlich, wie häufig man auf das Mittelalter, auf Jahrmarktsritter, Gaukler und Hufschmiede trifft, wenn man lange genug auf Nebenstrecken durch Ostdeutschland fährt. Ich habe im Osten schon mindestens genauso viele Mittelaltermärkte gesehen wie Küchenstudios. Bei Burgfesten, bei Jubiläen von Friedensschlüssen aus dem Dreißigjährigen Krieg und selbst bei solchen aus dem Siebenjährigen Krieg, der historische Rahmen ist völlig egal:

Immer schreit ein Laienschauspieler »Holla, Schurke«, zieht dann das Schwert und fuchtelt damit erschrockenen Kindern vor den angebissenen Bratwürsten vom Schwenkgrill herum. Es gibt inzwischen bestimmt auch Tankstellen, die so eingeweiht werden. Bei Romantik ist ja vor allem wichtig, wovor man flieht, und nicht so sehr, wohin genau.

❦

Vor allem in der letzten Zeit fällt bei Fahrten durch den Osten auf, wie gut man hier auch finanzschwache Amerikaromantiker glücklich machen könnte. Die teuren Langstreckenflüge sind nämlich rausgeschmissenes Geld, seit auch in weiten Teilen Deutschlands Carports in verlassenen Gärten verrotten, gigantische Windkraftanlagen den Horizont zersäbeln und am ehesten noch die Lichter von Tankstellen für menschliche Besiedlung bürgen. Und Menschen, die glaubhaft den Ku Klux Klan geben, müssen auch nicht extra eingeflogen werden.

Der deutsche Osten hat sich in den letzten zehn Jahren vom älteren Teil des alten Europa eindeutig zum amerikanischeren verwandelt. Größere Einkaufszentren hat kaum jemand vor den Stadttoren stehen. Üppigere Autobahnraststätten auch nicht. Bei Dresden sitzt sogar eine Firma, die mit gutem Erfolg amerikanische Fertighäuser importiert, die gar nicht mal so schlecht in die Landschaft passen. Und wenn Langzeitarbeitslose das zweifelhafte Glück haben, als Wachpersonal in einem der vielen ostdeutschen Einkaufszentren unterzukommen, dann werden sie dort meistens in Phantasieuniformen gesteckt, die denen der Polizei von New York nachempfunden sind – was einem schon aus Mitleid die Lust am Ladendiebstahl vergällt. Kein Wunder, dass so viele Filme, die im Osten spielen, »melancholische Roadmovies« voller »gebrochener Typen« sind.

Hier noch ein weiterer Beleg, es hat mit kulturellen Sitten zu tun und stammt sogar von einem echten Südstaatler, von

Mark Twain. Der notierte in seinem »Bummel durch Europa«, wo es damals nämlich noch anders zuging als in Amerika, ganz begeistert: *»In Deutschland hört man in einer Oper stets etwas, das man in Amerika bisher vermutlich noch nie gehört hat − ich meine den Schlusston eines schönen Solos oder Duetts. Wir fallen schon immer vorzeitig mit einem Beifall ein, dass die Wände wackeln. Die Folge davon ist, dass wir uns selbst den schönsten Teil des Vergnügens rauben.«*

Wer sich über die Amerikanisierung Ostdeutschlands auch auf dem Feld des Kulturgenusses ein Bild machen will, braucht heute bloß in ein Kreuzchor-Oratorium zu gehen. Seit 1990 wackeln nämlich auch in der Dresdner Kreuzkirche die Wände vom Applaus, und das ist noch nicht mal eine Oper, sondern immer noch vor allem eine Kirche mit liturgischem Musikbetrieb, wenn auch besonders kunstvollem. Hier wurde früher gar nicht geklatscht. Hier stand auch nach drei oder vier auf harten Bänken durchlittenen Stunden Bach niemand einfach auf und lärmte rum wie bei einem Boxkampf, sondern hier lauschten alle verwundert und berührt und vielleicht auch ein bisschen glücklich dem gewaltigen letzten Ton nach, der noch minutenlang wie eine numinose Materie in dem ausgebrannten Kirchenraum hing. Sogar atheistischste Funktionäre bekamen in diesen Momenten vermutlich eine Ahnung, weshalb man auf so etwas wie den Heiligen Geist verfallen kann. Jedenfalls verkniffen selbst sie es sich, die sakrale Aufführung durch Applaus zur irdischen Kulturübung umzuchiffrieren. Das begann erst nach der Wiedervereinigung.

Wenn ich denjenigen mal erwische, der da immer als Erster anfängt mit diesem Zerstörungswerk, dann schmeiße ich ihn von der Empore. Ich vermute, es ist eher ein Mann als eine Frau. Und ich glaube nicht, dass es ein ostdeutscher Bauer ist, der, von Rührung übermannt, den Gefühlen in seinen schwieligen Händen freien Lauf lässt. Ich bin sicher, es ist ein Vertriebsleiter aus dem Westen, der Dresden als Kultur-Las-Vegas missbraucht. (Sollte er nicht aus dem Westen sein, will ich das entweder nicht wahrhaben, oder ich schmeiße ihn dann erst recht von der Empore, da bin ich noch unentschieden.)

◆—◆

Vollbeschäftigung war einmal, das kommt nie wieder – sagen diejenigen, die sich mit so etwas auskennen. Und manche von ihnen sagen auch, dass der Osten der Ort ist, wo schon mal ausprobiert wird, wie man sich stattdessen die Freizeit finanziert, solange der missgünstige Staat noch nicht alles bezahlt.

Zunächst bot Diebstahl, wie weiter oben gezeigt, gerade jüngeren Menschen sehr spannende und herausfordernde Perspektiven. Ganz nebenbei hatte es sich als ein gutes Mittel gegen das Unwesen der Hehlerei erwiesen. Wozu bezahlen, was man auch gleich selber klauen kann? Solcher Subsistenzwirtschaft sind allerdings von Natur und Polizei aus gewisse Wachstumsgrenzen gesetzt. Das konnte nicht ewig so weitergehen.

Für die kurze Zeit, in der wir noch dieselben Pfandflaschen wie der Rest des Ostblocks hatten, aber im Gegensatz zu den anderen schon harte Währung, lohnte sich an der Elbe auch das Pendeln über die tschechische Grenze. Man kaufte dort ein Bier, gab die Flasche in Deutschland ab, kaufte vom Pfand bei den Tschechen ein neues Bier und so weiter. Reich werden konnte man damit zwar auch nicht, aber immerhin sehr, sehr betrunken.

Gewinnspiele, Preisausschreiben und Rubbellose waren dagegen eine Sache, die ein wenig Kapital-, vor allem aber Zeitaufwand erforderte, dann lohnten sich unter Umständen die Margen. Und Zeit hatten ja viele jetzt genug, wo sie nicht mehr arbeiten gehen mussten.

Wer nicht nur über Zeit, sondern auch über ein Auto und einen verlässlichen Schadensgutachter verfügte, musste das Geld eigentlich nur dort aufheben, wo es lag, also auf der Straße. Ein schönes Schlagloch, ein dramatischer Schadensbericht, eine dringende Aufforderung an die Stadtverwaltung, dafür aufzukommen … das war eine Zeit lang einträglich. In Kauf genommen werden musste dafür, dass die Welt zunehmend auch bei uns mit absurden Warnungen vor sich selbst zugestellt wurde: Achtung, Unebenheiten.

Am sinnvollsten gewirtschaftet haben aber damals eindeutig die Rechtsradikalen. Ein halbwegs fotogener Brandanschlag – und alle machten die Kassen auf. Das haben die Linken leider nie begriffen. Wer Häuser besetzt, bekommt ein Gerichtsverfahren. Wer Leute anzündet, einen neuen Sportplatz. Bei rechtsradikaler Gewalt wurde gern ein Defizit an Zuwendung ausgemacht und dieses nachträglich mit Sachleistungen zugeschüttet.

Der Ostberliner Neonazi-Führer Ingo Hasselbach und die Seinen nahmen für jedes ihrer Worte grundsätzlich Gagen. Es gab Neonazis, die kriegten ihren rechten Arm überhaupt nur noch dann hoch, wenn RTL oder Sat1 dafür bezahlten. Den Rechten wird ja gern nachgesagt, intellektuell ein bisschen einfacher gestrickt zu sein. Trotzdem hatten sie damals ein verblüffend stabiles, sich selbst tragendes System entwickelt. Sie nährten sich zuverlässig vom Entrüstungstrieb der Menschen am anderen Ende der medialen Verwertungskette. Die ersten Jahre nach der Vereinigung waren eine große deutsche Real-life-Soap. Solange es Leute gab, die »Gesicht zeigen« wollten, und wenn auch nur vor dem Fernsehgerät, solange konnten die Sender quotenträchtige Actionbilder mit einem gewissermaßen öffentlich-rechtlichen Aufklärungsanspruch verknüpfen – und genauso lange war es also sinnvoll und lukrativ, ein paar andere Gesichter zu Brei zu schlagen. Am Ende hat es sich für alle Beteiligten gelohnt. Abgesehen vielleicht von denen, die die Schläge leider abgekriegt haben. Ein hundertprozentiges Perpetuum Mobile gibt es nun mal nicht.

Als wegen der rechten Umtriebe im Osten sogar der Ruf

nach UNO-Truppen laut wurde, war das leider nur leere Polemik, man hätte es vielleicht mal darauf ankommen lassen sollen. Das hätte das System ins Globale erweitert. Denn mit UNO-Truppen kommen in aller Regel auch Aufbauhilfen.

—◆—

Was sich auch als verblüffend einträglich erwiesen hat, ist Wasser.

Es hatte immerhin Tote gegeben bei den großen Überschwemmungen des Ostens. Aber von heute aus, nach Ablauf der Trauerfristen, sieht es immer mehr so aus, als hätten die Hochwasser am Ende eher allen etwas eingebracht, und zwar in beiden Teilen Deutschlands: die Jahrhundertflut an der Oder von 1997 vielen Betroffenen neue Häuser und dem Rest des Landes endlich mal ein positives Verhältnis zu ihrer Bundeswehr. Und die Jahrtausendflut von 2002 hätte im Grunde auch von der Regierung in Gang gesetzt worden sein können.

»Warum rufen diese Leute denn sofort nach dem Staat, wenn ihnen das Wasser unter der Decke steht«, fragten mich westdeutsche Kollegen aufrichtig empört, als ich ihnen im Fernsehen mal ausführlich meine Heimatstadt zeigen konnte, die in jenen Tagen ein bisschen wie Venedig aussah. Und durch ihre Köpfe hörte man große staatsbürgerliche Bedenken schwappen: Etatismus, blinde Staatsgläubigkeit, immer noch nicht angekommen in der Welt der Eigeninitiative … .

»Nach wem sollten sie eigentlich sonst rufen«, wollte ich von meinen Kollegen ganz ernsthaft gerne mal wissen.

»Die Flut«, schüttelten sie traurig den Kopf, »die Flut hat die DDR wieder freigespült. Nicht nur materiell, sondern auch mental und kulturell.«

Wenigstens in ästhetischer Hinsicht musste man das aber vielleicht gar nicht so sehr bedauern. Viel von dem, was da weggeschwemmt wurde, waren würdelose Investoren-Architekturen gewesen, deren schäbiges Aussehen eher von der Verramschung als vom Aufblühen der dortigen Landschaften kündete. Nach der Wende hatte man sie, so eilig, wie die Förderfristen es verlangten, in die Flutwiesen gewürfelt. In die uferlosen Gewerbe- und Neubaugebiete, die von ehrgeizigen Dorfbürgermeistern »ausgewiesen«, von aufbauwütigen Behörden genehmigt und mit Fördergeldern »erschlossen« worden waren. Ein bisschen schade ist nur, dass das meiste davon an denselben Stellen ganz genauso wieder aufgebaut wurde, statt die vielen Geldspenden irgendwo anders für irgendetwas Besseres zu verwenden.

Das Unfassbare ist ja, dass diese Region für den Westen zwar jede Menge eleganter, feiner Dinge bastelt: Glashütte-Uhren, Hellerau-Möbel oder VW Phaetons – dafür aber im Gegenzug als ästhetischer Schrottablageplatz benutzt wird.

Dann sitzen die Leute in der Harald-Schmidt-Show und lachen sich kaputt, weil sie ihre alten hässlichen Polstermonster hinter den weggespülten Wohnzimmerwänden wiedererkennen. Ich hätte es während der Flut jedenfalls sehr begrüßt, wenn der ganze Müll die Elbe abwärts zurückgespült worden wäre. Genug Geld für Besseres ist ja nun wirklich geflossen damals, gar nicht mal wenig davon auch an Bausparer aus dem Schwarzwald, für die sich die Steuersparinvestitionen in Ost-Immobilien damit dann wirklich rentiert haben dürften.

Das Ausfüllen der Überweisungsschecks muss den Leuten ein ähnliches Gefühl beschert haben wie früher das Packen der Ostpakete. Insofern hat es sich letztlich doch noch gelohnt, die vielen Kamerateams und Politikerkarawanen zu erdulden, die den Helfern dort pausenlos im Weg herumstanden. Und dass die Reportagen vom Überlebenskampf der Leute zum Schluss aufgemacht waren wie der Trailer von »Titanic«.

Als Dresdner erkläre ich diese schwülstigen Fernsehbilder jetzt einfach mal zum Solidaritätsbeitrag für Westdeutschland. Schröder hat durch die Flut die Bundestagswahl gewonnen, befand die Union, die durch die Flut eine Dolchstoßlegende gewonnen hatte. Hochwasser, das weiß man seit Helmut Schmidts Triumph über die Sturmflut von Hamburg, landet im Zweifel immer auf den Mühlen der Sozialdemokraten. Die Regierung sah das offenbar sogar selber so und machte großzügig die Kassen auf. Und ich wiederum finde es großartig, dass im Überschwang des guten Gefühls zum Schluss niemand mehr so genau hinschaut. Dass Schröder zwar möglicherweise überall in Fernsehdeutschland durch die Flut die Wahl gewonnen hat, aber keinesfalls dort, wo sie stattfand. Dort hatten die Leute selbstverständlich gewählt wie gewohnt: CDU.

Wer hat also wen verraten? Wir die Sozialdemokraten.

Aber solange nicht mal die das kratzt, ist das alles eigentlich ganz gut gelaufen so weit.

Werkstatt der Teilung

Da Wolfgang Thierse ja nun einmal die dumme Idee in die Welt gesetzt hat, dass sich der Osten und der Westen ihre Geschichten erzählen sollen, ist es jetzt ganz wichtig, dass wenigstens niemand genau hinhört. Aber da sind wir inzwischen schon auf einem ganz guten Weg.

Es gibt in Köln ein paar Musiker, die sich den Namen »Erdmöbel« gegeben haben, ein Wort, das angeblich im DDR-Deutsch den »Sarg« ersetzte, woran ich mich aber beim besten Willen nicht erinnern kann. In den Texten der Gruppe »Erdmöbel« ist überhaupt erstaunlich oft vom Osten die Rede. Einmal wird sogar darum gebeten, von der Geliebten nicht ausgerechnet »im traurigsten Sachsen« verlassen zu werden. Diese Textstelle habe ich nie verstehen können. Denn Sachsen ist flächendeckend überall wunderschön, lieblich und heiter, nirgendwo ist es traurig, und schon gar nicht ist es irgendwo am »traurigsten«. Eines Tages gelang es mir, den Verantwortlichen für diesen Text zur Rede zu stellen. Er sei, entschuldigte er sich, zu dem Zeitpunkt, als er das schrieb, und das war 1999, noch niemals in Sachsen gewesen. Die Formulierung entspringe vielmehr einer eher romantischen Vorstellung vom Osten.

Und das ist wiederum mal eine ganz vernünftige Einstellung zu den Dingen. In meinen Ohren hätte zum Beispiel Hamburg heute noch einen wilden, großstädtischen Klang, wenn ich nie dort gewesen wäre.

Man sollte auch den Überzeugungskäufern von Ostprodukten niemals erzählen, dass das DDR-Masthähnchen »Broiler« als Wort wie als Sache ein amerikanisches Patent ist, das nur deshalb über eine bulgarische Ostblock-Lizenz auf die Teller der DDR kam, weil sogar den Westdeutschen der Begriff zu amerikanisch und fettig klang.

Und Leute, die Unter den Linden in Berlin gegen den Sozialabbau demonstrieren, dürfen keinesfalls erfahren, dass der elitäre »China Club« im Hotel Adlon letztlich nicht viel anders aussieht als jedes beliebige andere Chinarestaurant auch, nur zusätzlich noch mit deprimierend schlechten Bildern an der Wand. Erfahren sollten sie dagegen unbedingt, dass die Mitgliedschaft 10 000 Mark im Jahr kostet, oder so. Den Preis lieber noch ein bisschen weiter übertreiben, sonst hat niemand was davon, weder die drinnen, noch die draußen.

Deshalb ist auch das große Sozialneidtheater von Heiligendamm an der Ostsee so wichtig, dieser seit kurzem in dem hübschen Urlaubsort so heftig lodernde Kampf zwischen Arm und Reich, West und Ost. Gegen Kempinskis Luxushotel dort sehen sogar die weißesten Villen von Hamburg völlig verdreckt aus. Ein waschmittelweißes Nirvana ist das, wo blasse Wesen in anämischer Amnesie dem Alltag entdämmern. Ein ätherisches Arkadien, so wie sich die Leute vor Nietzsche die Antike vorgestellt haben und wie sie sich heute vermutlich noch diejenigen vorstellen, die auch »Nietzs-sche« sagen würden, weil ihnen die richtige Aussprache eines derart sächsischen Namens zu unfein ist.

Auch ich hätte natürlich große Lust, mir einen ordentlichen Nietzsche-Schnauzer stehen zu lassen, ballonseidene FDGB-Urlauberkluft anzuziehen, und dann den Apollos von Heiligendamm ein paar ordentliche Tragödien zu veranstalten – mit Bierpullen schmeißen, in die Sektkühler kotzen, irgend so was. Die Leute dort wollen schließlich wissen, aus was für einer schäbigen Welt sie sich flüchten, wenn ihnen das schon 500 Euro die Übernachtung wert ist. Und an deren Stelle wiederum würde ich dort den ganzen Tag nur in einer Toga herumlaufen und die Plebejer mit Champagnergläsern bewerfen: Sie sollen gefälligst nicht so neidisch gaffen, immerhin bezahle ich deren Arbeitsplätze, und wer den Kapitalismus wollte, darf sich heute nicht beschweren, dass ihnen blasierte Baulöwen den Strand streitig machen.

Der Ton ist rau, und die Beziehung symbiotisch. Wie bei ordnungsgemäß gescheiterten Ehepaaren. In den Alltag finden frische Paare ja immer in dem Moment, wenn der Erste aufhört, dem anderen zuzuhören und heimlich an zu erledigende Einkäufe oder das Fernsehprogramm denkt. In einem noch späteren Zustand der Reife wird nur ein einziges Wort genügen, und man will den ganzen Rest schon nicht mehr hören.

Mir zum Beispiel muss die Geschichten aus dem Westen schon deshalb niemand mehr erzählen, weil ich das genauso gut gleich selber erledigen kann. Angela Merkel sah das offenbar genauso, als sie dem Bundestag verblüffend routiniert erzählte, wie das mit der RAF damals war.

Das Verhalten gegenüber Angela Merkel ist überhaupt bisher sehr vorbildlich gewesen und sollte generell zur Regel werden: Bitte immer nur über Frisuren und Kleidung sprechen – und möglichst nicht in die laufenden Geschäfte der Machtübernahme eingreifen. Es ist schon viel gewonnen, wenn die Witze am Äußeren abprallen – das Äußere für Witze zur Verfügung zu stellen, ist für Ostdeutsche selten ein Problem, und Westdeutschen erspart es die Ratlosigkeit vor dem Dahinterliegenden. Über Schwache und Brillenträger darf man allenfalls lachen, sie schlagen oder ihnen den Finanzhahn zudrehen, das geht natürlich nicht. Ein Westdeutscher hat außerdem allen Grund, sich davor zu hüten, in den Tiefen der ostdeutschen Geschichten herumzubohren. Wenn ich einer wäre, hätte ich nämlich mittlerweile auch eine gewisse Scheu, noch irgendwas zu sagen, was dann doch automatisch falsch ist, im Stasisumpf untergeht oder in unüberschaubaren inneröstlichen

Konflikten – und würde zur Sicherheit auch lieber Friseurgespräche führen.

———— ✦ ————

Sehr schön zu beobachten war diese Scheu zuletzt im Sommer 2003 anlässlich der Ausstellung »Kunst in der DDR« in der Neuen Nationalgalerie Berlin, früher *die* Kunsthalle des freien Westens. Das fing schon damit an, dass die Nationalgalerie zur Eröffnung aussah wie ein Mittelaltermarkt in Aspik. Der Glaskasten war voll von weißem Leinen. Das unkorrumpierte Naturmaterial fiel steil an Frauen herab, deren kluge Köpfe unter asymmetrischen Frisuren steckten, und es knitterte sich um die breiten Schultern bärtiger Männer. So hatte ich auch gerne werden wollen, wenn alles anders gekommen wäre: ein rauschebärtiger Ostkünstler, der auf seinem verwilderten Bauernhof draußen vor der Stadt ständig legendäre Feten schmeißt, wo dann die leinernen Fetzen fliegen. Und zwischendurch hätte ich figurative Dissidentenkunst zusammengeberserkert.

Es hatte in all den Jahren, bis es zu dieser Ausstellung in der Nationalgalerie kam, fast immer nur gewaltigen Ärger gegeben, wenn DDR-Kunst ausgestellt wurde. Darüber, wie sie ausgestellt wurde. Dass sie ausgestellt wurde. Ob es überhaupt Kunst sei.

An jenem Abend im Sommer 2003 sollte endlich Frieden geschlossen werden. Dafür prallten aber bei den Eröffnungsreden im Foyer die Sprechweisen von Ost und West in einer exemplarischen Deutlichkeit aufeinander, dass man die Ansprachen am liebsten mitgeschnitten und einem ethnologischen Museum überantwortet hätte. Es war immer noch derselbe Mentalitätsunterschied, für den Anfang der Neunziger in Berlin immer die Schrippen hatten herhalten müssen: die kleinen, grauen, nahrhaften Ostschrippen und die braun gebrannten aufgeblasenen Westschrippen.

Der Generaldirektor der Berliner Museen ist zum Beispiel

eindeutig eine Westschrippe. Er eröffnet Ausstellungen nicht, er salbt sie, er haucht ihnen Odem ein. Dieser Mann pustete ein paar grandios ondulierte Worte wie Zuckerwattewölkchen in den Abend, aus denen vor allem hervorging, dass er keine Lust habe, sich an dem Thema die Finger zu verbrennen und deshalb lieber den Mund halte. Als er das endlich tat, war das so, als ob jemand einen Föhn wieder abgeschaltet hätte. Der ostdeutsche Kurator, an den er das Mikrofon weitergab, erinnerte dagegen auf eine sehr tragische Weise an einen verstopften Revolver. Und das war leider auch wieder typisch. Gerade bei Intellektuellen aus dem Osten, da ist in all den Dissidentenjahren so viel Wütendes zusammengegrübelt worden. Da ist soviel Bitterkeit angesammelt und mit nie ausgesprochenen Repliken und Polemiken verdickt worden. Da gibt es so unendlich viel zu sagen, so viele Seitenhiebe und Anspielungen in nach- oder vorangestellten Partizipien unterzubringen, dass es am Ende gar kein Wunder ist, wenn der ganze kluge Klumpatsch in einer schmerzhaften Ladehemmung stecken bleibt. Das Publikum schaute und hörte sehr tapfer zu, vor allem die Westdeutschen, die an diesem Abend auf gar keinen Fall etwas falsch machen wollten. Sie spürten alle, wie das rhetorische Kanonenrohr immer dicker wurde. Sie wussten auch alle, dass die Kugel leider vor ungefähr dreizehn Jahren schon hätte abgefeuert werden sollen. Und als sie ihnen dann an diesem Abend endlich vor die Füße plumpste, waren alle ein bisschen ratlos.

Da lag sie dann, die komplizierte ostdeutsche Geschichte von der Kunst – auf dem Museumsfußboden mitten in Westberlin. Und es sah so aus, als sollte sie dort auch erst einmal liegen bleiben – bis sie mit dem Ende der Ausstellung weggekehrt werden könnte. Denn die Einhelligkeit und Inbrunst, mit der diese danach zur Ausstellung des Jahres emporgelobt wurde, roch ein wenig nach dem Wunsch, dass es damit dann endlich auch mal gut sein möge mit diesem sperrigen Thema.

Gleichzeitig sind die Ratlosigkeit und das Desinteresse der Westdeutschen natürlich Gold wert, weil sie den Osten, da er sich nun einmal nicht mehr aus der Welt schaffen lässt, immerhin wieder den Ostdeutschen überlassen. Er lauert wie eine Migräne in den Hinterköpfen der Deutschen: Er geht allein schon durch die Angst auf die Nerven, dass er sich jederzeit wieder zurückmelden könnte und erfordert deshalb fortwährende Behandlung. Insofern ist er seine eigene Arbeitsbeschaffungsmaßnahme. Denn, wenn der Eindruck richtig ist, dass es heute überwiegend Ostdeutsche sind, die sich noch mit dem Osten befassen, ihn analysieren, deuten, in Zeitungsartikel und Bücher packen – dann gleicht er ein wenig jenen Frauenthemen, die ausschließlich von Frauen beackert werden, während die Männer lieber den Mund halten aus Furcht, etwas Dummes zu sagen. Der Osten ist ein Spezialgebiet, in dem Auswärtige wenig zu suchen haben. Ein thematischer Rückzugsort, für den es im Westen kein Gegenstück gibt. So wie Frauen sich problemlos auch über Sport, Autos und Politik äußern dürfen, steht jemandem aus dem Osten im Prinzip der ganze Westen sperrangelweit offen. Und das Praktische daran ist, dass der große Westen mit seinen Geschichten so einfach und klar und deutlich vor einem liegt, der kleine Osten hingegen so mimosenhaft in sich gekehrt, sensibel und kompliziert.

Westdeutsche meiner Generation leiden oft an der eigenen Übersichtlichkeit und beklagen sich gelegentlich über die Spannungsarmut ihres Aufwachsens. Und einige der Intelligenteren unter ihnen schienen zuletzt den Anbruch der gegenwärtigen Wirtschaftskrise regelrecht zu begrüßen – wie früher gelangweilte Gymnasiasten den Ersten Weltkrieg. Irgendwann Ende der Neunziger wurde es auch bei ihnen schick, im Tonfall des Zeit-Feuilletons gegen die so genannte Spaßgesellschaft und die Comedysierung der Verhältnisse zu polemisieren. Ein

Ende der Ironie wurde von ihnen dann oft gefordert, mehr »Unbedingtheit« und »Haltung« (für oder gegen was auch immer).

Mich haben diese kasernenhofartigen Appelle irgendwie auf dem falschen Fuß erwischt. Ich bin bis heute eher froh, dass ich mich seit 1990 rühren und in allen möglichen Milieus und weltanschaulichen Positionen herumwandern darf, wie ich will. Vielleicht ist die Orientierungslosigkeit, die man den Ostdeutschen oft mitleidig andichtet, bei wohlwollenderer Betrachtung einfach eine Art verspäteter Postmoderne.

Das fängt bei dem bodenlosen Variantenreichtum an, mit dem man als Ostdeutscher seine eigene Biografie und seine Verstrickungen in das DDR-System erzählen kann. Und das gilt in harmloseren Formen auch für die Aneignung des wiedervereinigten Landes. Ich hätte jedenfalls keine Skrupel, mir die lokalpatriotischen Trainingsjacken, die im letzten Sommer modern wurden, gleich in allen verfügbaren Versionen zuzulegen. Damit meine ich jene Jacken, auf denen links des Reißverschlusses »Ber« und rechts »lin« steht. Oder »Ham« und »burg«. Sicherlich gibt es das auch mit »Dres« und »den«. Die notorische Symmetrie der meisten deutschen Großstadtnamen macht dieses angenehm föderalistische Heimatbewusstsein praktisch für fast jeden verfügbar (schwer haben es nur die Leute aus Ul-m; vielleicht wohnen deshalb so viele von denen in Ber-lin). Ich könnte die Jacken von Dresden, Berlin und Hamburg wie eine Matrioschka übereinander ziehen, je nachdem, wo ich gerade bin. Dieses Changieren zwischen Städten, Haltungen und Lebenswelten darf man keinesfalls mit Beliebigkeit verwechseln. Es ist eine sehr ernste und aufreibende Sache, die auch dann nicht einfacher wird, wenn man zum Beispiel durch die klassische Druckkammer eines Fußballspiels zur Positionierung gezwungen wird.

Als nämlich am 17. August 2003 endlich das passierte, worauf ich seit der Vereinigung gewartet hatte, konnte ich noch nicht mal drauf anstoßen, nicht vernünftig jedenfalls. Denn wegen der »Brisanz« des Ereignisses war das Bier an diesem Tage alkoholfrei.

Das Ereignis: Dynamo Dresden spielt in Hamburg bei St. Pauli. Kein Fußball, kein guter jedenfalls, sondern ein Kampf der Systeme. Linker Westen gegen rechten Osten. Multikulturelles Leben gegen national befreite Zonis. Gut gegen Böse. Und zwar betont Gut gegen betont Böse. Hamburg gegen Dresden. Meine innere Einheit als tableau vivant. Bei so was muss man natürlich einen klaren Kopf behalten.

Jahrelang hatte ich diese Begegnung herbeigesehnt und die Entscheidung, vor die sie mich zwangsläufig stellen würde, selbstverständlich auch gefürchtet. Aber beide hatten hartnäckig aneinander vorbeigespielt, bis sie jetzt in der dritten Liga endlich doch noch aufeinander trafen. 1287 Polizisten aus Hamburg, Bremen und Schleswig-Holstein. Dazu 255 Ordner. Kontrollen an den Autobahnzufahrten und am Bahnhof. Aber keine Meldung verdeutlichte die Brisanz, die diesem Spiel beigemessen wurde, so sehr wie diejenige, dass es aus Sicherheitsgründen kein Bier im Stadion gebe, jedenfalls keins mit Alkohol. Und das alles wegen Dresden. Die Hamburger Presse hatte schon Wochen im Voraus den Eindruck erweckt, bei dem, was da aus dem Osten die Elbe hoch auf Hamburg zukomme, handele es sich mindestens um SS-Totenkopfverbände. Einem richtigen St.-Pauli-Fan konnte überhaupt nichts Besseres passieren. Entschlossen sah ich sie am Vormittag schon über die Reeperbahn ziehen: schmale Männer in Braunweiß, denen man oft sehr deutlich anmerkte, dass sie eigentlich lieber ins Theater als zum Fußball gegangen wären. Dass sie sich im Fanshop nicht einfach nur ein Trikot gekauft hatten, sondern ein politisches Statement, ein sympathisches, menschenfreundliches Lebensgefühl zum Anziehen. Auf vielen T-Shirts stand »Retter« oder »Retterin«, und zwar dort, wo bei T-Shirt-Trägerinnen geringerer Einkommensklassen gewöhnlich verzeichnet ist, dass es sich bei ihnen um eine »Zicke« oder ein »Luder« handelt. Eine Spendenaktion war das. St.-Pauli-Fans in Solidarität mit ihrem darbenden Verein. Es gab »Retter«, die trugen sogar ein kleines »Retterchen« auf dem Arm. So friedlich, nett und familiär könnte Fußball sein.

Wenn es nicht gleichzeitig Dresdner gäbe.

Diese marodierten zu diesem Zeitpunkt ebenfalls über den Kiez und sächselten stärker, als sie gemusst hätten. Sie kasperten scheinbetrunken vor Sexshops herum und taten überhaupt alles, was von ihnen erwartet wurde. Wenn in Hamburg die Leute spaßeshalber volkstümlich tun und Platt sprechen, verhalten sie sich ähnlich. Es geht aber meistens um etwas anderes. Wenn sie Dialekt sprechen, dann nur, um zu unterstreichen, dass sie es in Wahrheit eben nicht nötig haben. Das übertriebene Krawallsächsisch dieser Dresdner überhöhte dagegen deren Dialekt, der ja auch mal meiner war, und stand damit sehr tapfer zu sich selbst.

Ich hatte Mitte der Neunziger in dem normalerweise angenehm friedlichen Stadion von St. Pauli einmal ein Spiel gegen Zwickau verfolgt, wo sie ein noch stärkeres Sächsisch sprechen als in Dresden. Ein sehr betrunkener und beim Spielstand von 5:0 mit der Arbeit des Zwickauer Trainers Gerd Schädlich äußerst unzufriedener junger Mann war damals in Richtung des Spielfeldes gestürmt. Er hatte kurz gewartet, bis es sehr ruhig war im Stadion. Und dann hatte er, so laut und so sächsisch er konnte, die ganzen geläufigen Bilder vom Osten – vom Stigma der Mundart, der Aggressivität, dem dauernden Scheitern und dem ständigen Wehklagen darüber – in einem einzigen ebenso markerschütternden wie welterklärenden Schrei zusammengepackt:

»Schädlich, du Homo!«

(In Lautumschrift: Schedlisch, du Houmouuuuu.)

In keinem anderen Dialekt kann man eine rüde Beschimpfung gleichzeitig so sehr zum jammernden Jaulen werden lassen. Als alle gelacht hatten, war er zufrieden auf den Boden gesackt und hatte sich ausgeschlafen.

Natürlich hatten es die Dresdner einfacher in ihrer Rolle. Es ist immer leicht, der Böse zu sein. Rumgrölen und trotzdem lieb sein, ist schwerer. Und die Fans von St. Pauli waren darum nicht zu beneiden.

Noch weniger zu beneiden fand ich nur mich selber. Ich kann zwar links wie rechts, hochdeutsch wie sächsisch. Aber zwei Stunden lang zwischen diesen Posen auch noch hin und her zu hüpfen, grenzt wirklich an Überanstrengung. Wenn man bei einem Fußballspiel für beide gleichzeitig ist, dann langweilt man sich entweder fürchterlich, oder man regt sich doppelt so häufig auf und muss deshalb auch doppelt so viel trinken. Aus der friedliebenden Perspektive der St.-Pauli-Tribüne prostete ich dem Dresdner in mir gewissermaßen die ganze Zeit von außen zu. Wir beide waren uns über die weltanschaulichen Gräben hinweg sogar einig, dass das Bier noch das Beste an dem Spiel war. Und das Bier war schon eine Zumutung. Sie erzählen einem zwar immer, das Alkoholfreie sei schon wesentlich besser geworden, man könne es praktisch kaum noch von richtigem Bier unterscheiden. Aber das ist absoluter Unsinn, man schmeckt es sofort, und es schmeckt eben nicht. Vor allem, wenn man ständig darauf hingewiesen wird. Der Stadionsprecher empfahl zur Pause speziell den Dresdnern erstmal ein »schönes Holsten alkoholfrei« zu trinken. Das »leckere Astra« gebe es ja leider heute, wie gesagt, nicht.

»Bitte keine bengalischen Feuer da im Dresdner Block,« maulte dieser übellaunige Mensch dann später aus den Lautsprechern, als es zu einem glücklichen Ausgleich gekommen war, »das wollen wir hier nicht hoben.« Er sagte »hoben«, nicht »haben«. Und er meinte eigentlich auch nicht nur die bengalischen Feuer. Dabei passierte nur ganz zum Schluss ein kleines bisschen von dem, was alle erwartet, befürchtet und beinahe schon vermisst hatten: Undeutliche Gesänge wehten herüber, die mit dem Wort »Auschwitz« endeten. Ein St.-Pauli-Fan rief: »Wir haben Arbeit, und ihr nicht!« (Was ich ihm nicht glaubte.) Meine Hamburger Freunde schauten mich missbilligend an. Und ich trank ein alkoholfreies Bier und schämte mich.

Beim Verlassen der Tribüne hatte ich nachher überraschend den Eindruck, ich schwanke. Nur unscharf ließ sich im Vorbeigehen entziffern, dass sie an der Bierbude die gesamte Zeit normales Astra ausgeschenkt hatten. Alkoholgehalt: 5,0 % Vol. Das alkoholfreie Bier, von dem den ganzen Tag die Rede war, hatte es nur im Dresdner Block gegeben.

Über Auschwitzgesänge erschrocken und schwerstens betrunken – dieser Bilanz nach war ich eindeutig mehr Hamburger als Dresdner an jenem Abend. Es war der Abend der ersten Ostalgieshow im Fernsehen. Und mir ging es vorher schon nicht gut.

❦

Aber wenn derartig viele Anlässe zusammenkommen, sich vom Osten zu distanzieren, dass man in einen regelrechten Entschuldigungstaumel verfällt, weiß man endgültig, dass man in Wahrheit dort zu Hause ist. Fremdschämen ist nämlich auch eine Art der Aneignung. Es wäre mir früher niemals in den Sinn gekommen, Mitleid mit den Leipzigern wegen ihrer peinlichen Olympiabewerbung zu empfinden. Ein Dresdner hat normalerweise zu dieser Stadt ein Verhältnis wie ein Kölner zu Düsseldorf. Früher, als meine Welt noch feindselig in Sachsen, Preußen und Fischköppe eingeteilt war, hätte es mich persönlich wenig gekratzt, dass der Anführer jener Neonazis, die einen Sprengstoffanschlag auf die Jüdische Gemeinde in München vorbereitet haben, aus Mecklenburg-Vorpommern stammt. Als dieser Martin Wiese neulich festgenommen wurde, habe ich mich allerdings bei dem empörten Gedanken ertappt, dass ausgerechnet der nun der erste Ostdeutsche gewesen sein soll, der es in München zu einer Führungsposition gebracht hat. Ansonsten hört man das östliche Idiom dort ja eher von S-Bahn-Durchsagern, Müllfahrern oder Hausmeistern.

Wenn halb Frankreich Le Pen wählt, ist mir das weniger unangenehm, als wenn es die NPD in irgendein Stadtparlament der Sächsischen Schweiz schafft. Und für die Ästhetik gilt das erst recht. Die Hässlichkeit italienischer Vorstädte kann etwas zutiefst Tröstliches haben, wenn ich von dort aus an die tristen Eigenheimsiedlungen und nutzlosen Gewerbegebiete denke, mit denen sie in Ostdeutschland die Landschaften voll rümpeln – selbst wenn ich dort gar nicht wohne und möglicherweise sogar noch nie dort war, wäre ich jederzeit bereit, die entsprechenden Sprenganträge zu unterschreiben. Wenn ich heute durch den Osten fahre, schaue ich überall zweimal hin. Einmal mit dem Blick des Westdeutschen: ob das alles so bestehen kann und den Erwartungen entspricht, die man nach anderthalb Jahrzehnten Transferleistungen an die Blühenden Landschaften haben dürfte. Und dann noch einmal mit meinem eigenen Blick. Kein Wunder, dass man dann aus dem Schimpfen gar nicht mehr rauskommt.

Vielleicht ist nämlich das so genannte Heimatgefühl – um hier allmählich mal zu einer Art Resümee meiner Erkundungen zu kommen – vielleicht ist also Heimatgefühl heute vor allem das deutsche Wort für Aversionen.

Und deshalb wollen die auch gut gepflegt sein – einhellig affirmatives Deutschtum ist, wie die Erfahrung lehrt, ja meistens noch viel unangenehmer.

Sehr einfach lassen sich solche Aversionen im Übrigen in Zusammenarbeit mit Menschen wie T. pflegen. Ein Bekannter ist das, der aus Bayern nach Berlin kam – aber nicht wie normale Leute, die in die Hinterhöfe Ostberlins ziehen, weil sie dort ein abenteuerlicheres Leben als zu Hause in Westdeutschland vermuten. T. macht angenehmerweise überhaupt keinen Hehl daraus, dass er nur deshalb gekommen ist, um dort zu sein, wo auch alle anderen sind, die den Ton angeben. Dass ihn der Osten ansonsten nicht interessiert und der Westen Berlins als eine Art Doppelosten schon gar nicht. In seiner Gegenwart fühle ich mich manchmal wie der eingeborene Dolmetscher eines angewiderten Kolonialbeamten, den es in die Barbarei verschlagen hat, in eine Welt ohne Kehrwochen, wo er sich andauernd ängstigt und ekelt. Er wünscht sich, dass Berlin zu einem »deutschen New York« wird, oder zumindest die Schönhauser Allee zu einer preußischen Maximilianstraße. Mir dagegen wäre es lieber, wenn die Mieten hier so blieben, wie sie sind.

Den Ostberliner Stadtbezirk Prenzlauer Berg bezeichnet T. als »national befreites Viertel«, weil die Ausländer, die sich dort durch den Alltag kämpfen, für seinen Geschmack die falsche Hautfarbe haben und ihm nicht dekorativ genug sind. Aber was soll man da schon sagen, solange es immer wieder sächsische CDU-Politiker gibt, die sich schon überfremdet fühlen, wenn ihnen in Berlin mal zwei Türken auf einmal über den Weg laufen. T.s gut gemeinte Ausländerfeindlichkeit ist dagegen wenigstens halbwegs charmant und nicht so ressentimentgeladen.

Die Animositäten, die wir austauschen, bleiben auch sonst meistens im vergleichsweise harmlosen Bereich von Kultur und Lebensart. Die wichtigste Frontlinie ist die Sprache. Meine vermeintliche Deutschtümelei und seine Versuche, mit Anglizismen Westbindung, Weltläufigkeit und kosmopolitischen Antifaschismus auszustrahlen. Er sagt Sideboard, ich Anrichte. Er Plastik, ich Plaste – und dass Plastik ein Begriff aus der Bildhauerei sei. In Restaurants bestellt er sein Mineralwasser vorsichtshalber nicht »mit Kohlensäure«, sondern »mit Gas«; und ich möchte deswegen lieber nicht dabei sein, falls er mal in einem jüdischen Lokal einkehrt.

Wenn er mich zur Begrüßung fragt: »Wie gehts?«, dann

nehme ich seine Hand, schüttele sie lange und sage nicht etwa, wie er das vielleicht aus New York oder München gewöhnt ist: »Primaundselber?« – sondern ich sage ernst: »Es geht mir sehr, sehr schlecht«, und dann erzähle ich ihm sehr ausführlich vom Arbeitsamt, von dem unschönen Gefühl, nicht mehr gebraucht zu werden, und Ähnlichem. Ich versuche meine Jammersonate so lange auszudehnen, bis der Milchschaum auf T.s Starbucks-Kaffee genauso in sich zusammengesackt ist wie seine gute Laune. Dass ich aufgeschäumte Milch und aufgeschäumte Lebensgefühligkeit nicht mag, hatte ich ja eingangs schon erwähnt.

Und bevor an dieser Stelle jemand einwendet, dass das hier nun wirklich keine Kulturkämpfe, sondern allenfalls kulturelle Albernheiten sind, die an den eigentlichen Problemen im Lande vorbeigehen, sage ich lieber gleich selber: Eben, ganz genauso ist es. Und ich gebe sogar zu, dass vieles davon gar nicht zwangsläufig etwas mit Ost und West zu tun hat, sondern mit dem uralten Gegensatz von Provinz und Metropole. Allerdings ist es in Deutschland heute schwerer zu bestimmen, was Provinz und was Metropole ist, als wo Osten und Westen liegen – die dem ganzen Thema noch dazu eine staatsbürgerliche Überhöhung geben.

Und die Angleichung der Lebensverhältnisse bedroht uns alle. T. genauso wie mich. Und zwar werden sich, wie es im Moment aussieht, eher seine an meine angleichen. Wenn dann weder im Westen noch im Osten die Landschaften blühen, dann muss man schon froh sein, wenn das wenigstens noch die Vorbehalte tun. Deshalb sollte es nicht auch noch zur Angleichung des Lebensgefühls, der Attitüden und Aversionen kommen. T. kann dankbar sein, dass es vorläufig noch die Ostdeutschen sind, die ihm mit ihrem Gejammer auf den Geist gehen. Die Polen haben im Hinblick auf die Osterweiterung noch einen wesentlich forderneren Ton drauf, wenn es um Geld und Mitbestimmung geht, wie sich soeben beim Scheitern der

EU-Verfassung gezeigt hat. Und es besteht durchaus die Gefahr, dass ausgerechnet die Polen es schaffen, Deutschland doch noch mental zu vereinen: und zwar im westdeutschen Dünkel.

Ich weiß, wovor ich warne. Ich habe im polnischen Grenzgebiet Ostdeutsche erlebt, die beim Autofahren die Altcigentümerhaltung einnahmen: die sich über ihre Lenker beugten, das Gas wegnahmen und missbilligend die Fassaden der Häuser begutachteten. Die schimpften, wie verkommen und grau alles sei. Dass die Polen nicht wirtschaften könnten. Noch sehr viel lernen müssten. Nur unser Geld wollten.

Die Polen sind zu beneiden. Für die geht der ganze Spaß jetzt erst los.

Dank und Grüße von A bis Z an alle Mitwirkenden und außerdem an J. T. und N. M. für die anregenden Unterhaltungen.

Inhalt

GOLDMANN